$IMONE CO$TA

PLANEJAMENTO FINANCEIRO

Título original: *Planejamento financeiro: você no controle!*

1ª edição: Maio 2022

Autor:
Simone Costa

Preparação de texto:
Magno Paganelli

Revisão:
3GB Consulting e Fernanda Guerriero Antunes

Projeto gráfico e diagramação:
Jéssica Wendy

Capa:
Dimitry Uziel

DADOS INTERNACIONAIS DE CATALOGAÇÃO NA PUBLICAÇÃO (CIP)

Costa, Simone
Planejamento financeiro : você no controle / Simone Costa.
— Porto Alegre : Citadel, 2022.

240 p.

ISBN 978-65-5047-155-2

1. Finanças pessoais 2. Educação financeira 3. Desenvolvimento pessoal I. Título

22-1963 CDD 332.024

Angélica Ilacqua - Bibliotecária - CRB-8/7057

Produção editorial e distribuição:

contato@citadel.com.br
www.citadel.com.br

$IMONE CO$TA

PLANEJAMENTO FINANCEIRO

VOCÊ NO CONTROLE!

2022

SUMÁRIO

PREFÁCIO

Recebi o nobre convite para prefaciar este livro, escrito pela amiga Simone Costa, CFP®, que foi uma das participantes que se destacaram entre os mais de 25 mil profissionais que tive a honra de conhecer nos treinamentos que desenvolvi no mercado financeiro ao longo dos últimos 35 anos.

Tive o prazer de conhecer a Simone Costa em um treinamento que ministrei no Banco Itaú, quando me impressionei com sua facilidade de aprendizagem, interesse, postura proativa e dedicação. Daí em diante, acompanhei sua rápida evolução profissional e sua incessante busca por conhecimento, demonstradas não só pelas certificações financeiras que obteve, como também pelo entusiasmo pela carreira de planejamento financeiro pessoal, que nobremente ela também realiza em programas sociais de educação financeira para jovens que moram em comunidades.

A educação e inclusão financeira, juntamente com a proteção do consumidor de serviços financeiros, são alguns dos pilares para o desenvolvimento da cidadania financeira no Brasil.

A realização de iniciativas para a educação financeira da população tem ganhado crescente importância ao redor do mundo, o que se reflete no estabelecimento de estratégias de coordenação nacional voltadas a esse objetivo em diversos países.

A meu ver, apesar dos esforços implementados tanto por iniciativas governamentais como por entidades privadas, a educação financeira do brasileiro ainda tem um longo caminho a ser percorrido e, certamente, deverá ser ensinada desde cedo para crianças e jovens.

A educação financeira está associada à melhoria no bem-estar das pessoas, que passam a ter a consciência ampliada sobre a própria realidade financeira e melhores condições para a tomada de decisões, transformando assim a própria vida.

Atualmente, existem diversos livros sobre os temas "educação financeira e planejamento financeiro pessoal"; contudo, o que diferencia *Planejamento financeiro: você no controle!*, escrito pela Simone Costa, é a forma didática e prática como os assuntos são tratados, demonstrando passo a passo, com exemplos reais do cotidiano, todo o processo do planejamento financeiro pessoal.

Os capítulos do livro apresentam informações relevantes e imprescindíveis para aqueles que desejam conhecer ou aprofundar conhecimentos sobre orçamento pessoal, fluxo financeiro, reservas financeiras, como economizar no dia a dia, uso consciente do crédito (taxas de juros, cheque especial, cartão de crédito, compras parceladas etc.), aposentadoria, tipos de inventário e outros temas extremamente importantes, práticos e interessantes.

Pela credibilidade que a Simone Costa tem e pela confiança que deposito em seu trabalho, eu recomendaria qualquer obra escrita por ela. Contudo, deixo a cargo do leitor descobrir por si mesmo este importante conteúdo; para isso, basta iniciar a interessante leitura que vem pela frente.

"O futuro dependerá daquilo que fazemos no presente."

– Mahatma Gandhi.

Armando Tosi, CFP®

Diretor da Armando Tosi & Consultores Associados
Docente e Planejador Financeiro Pessoal

CAPÍTULO 1

VOCÊ NO CONTROLE!

Lendo este livro, tenho certeza de que você promoverá a transformação financeira em sua vida! Esteja disposto a colocar a "mão na massa" para buscar seus sonhos e projetos e assuma o controle!

Estas páginas são direcionadas a quem está começando a organização da vida financeira e para aquelas pessoas cuja vida financeira é ativa e que querem iniciar um planejamento de forma simples, prática e estruturada.

O principal objetivo de *Planejamento financeiro: você no controle!* é direcioná-lo para a organização das suas finanças, com vistas a um planejamento financeiro eficaz, a fim de que você esteja no controle de sua saúde financeira.

Fazendo uma analogia para ilustrar isso, posso dizer que para se ter saúde física é preciso conhecer o corpo e suas limitações, assim como quais alimentos devem ser priorizados e consumidos em detrimento de outros que não são tão recomendados. É preciso dar atenção a isso para se ter uma vida saudável e equilibrada.

De igual modo posso dizer sobre a saúde financeira de alguém. Primeiro, é preciso conhecer a situação real e as limitações pessoais, para então poder desenhar o plano de ação a ser seguido e manter-se fiel a ele. Determinar as limitações é fundamental para uma vida financeira equilibrada.

Você já pode estar dizendo:

"Eu já tentei isso" ou "não vai dar certo".

Então, devo perguntar:

"Você já tentou de verdade? Como? Por quanto tempo?".

Se a resposta foi algo vacilante, então sugiro que estabeleça que esta será sua prioridade daqui em diante! Tenha disciplina nos objetivos e metas estabelecidas e certamente você terá os resultados almejados de acordo com a sua capacidade financeira.

Uma das questões centrais do planejamento financeiro é o quão bem se administra o que se tem. Sua renda pode ser "alta" ou "baixa", de acordo com sua visão e com a situação do mercado, então a questão é: como você faz a gestão dela?

A metodologia adotada dependerá
100% de você. Isso mesmo!

Para que haja conscientização e sensibilização necessárias, é preciso participar ativamente de todo o processo. Por isso, vamos utilizar uma folha ou uma planilha – o que for melhor para você, ao menos durante os três primeiros meses. Fique tranquilo, darei a você as orientações necessárias.

Talvez você já utilize um aplicativo e o considere muito bom. Tenho certeza de que pode ser, sim, mas a questão que vamos tratar neste livro, sendo bem direta, é com você, e não com o aplicativo que utiliza.

Devo perguntar outra coisa: quantas vezes você explorou os detalhes de todas as suas despesas no aplicativo? Com qual frequência acompanha? O que identifica e analisa? Com base nas suas observações, quais decisões toma?

Não basta ter os dados se eles não forem utilizados para alguma ação.

Diante disso, se você quiser desistir, a decisão será sua. Recomendo que continue. Serão três meses que transformarão a situação da sua vida financeira!

Depois dos três meses, fique tranquilo, vamos automatizar.

Neste livro quero ter objetividade. Então, em muitos casos, iremos direto ao ponto, sem enrolação. É importante destacar que existe um embasamento científico, que foi estudado exaustivamente por mim e por muitos outros autores, todos precursores do tema.

E então, *vamos começar*?

CAPÍTULO 2

ORIENTAÇÕES PARA A LEITURA DO LIVRO

Considero importante alinharmos alguns aspectos essenciais antes da leitura deste livro.

Ao longo do conteúdo, você encontrará interações para facilitar a aprendizagem e a reflexão e proporcionar a prática necessária.

São elas:

- *QR CODE para leitura*. O Código QR é uma figura que pode ser facilmente escaneada utilizando a câmera de seu telefone celular. Esse código é convertido em texto, imagem, endereço eletrônico, entre outros conteúdos. Para a leitura, basta aproximar a câmera de seu celular ao *QR CODE*.

Caso a câmera de seu celular não faça a leitura de forma automática, recomendo que baixe um aplicativo de leitura de *QR CODE* de sua confiança. Há aplicativos gratuitos disponíveis na internet.

- *Tabelas para preenchimento.* Faremos o planejamento financeiro na prática. Sendo assim, você será direcionado a preencher tabelas para o seu controle financeiro. Você receberá todas as orientações sobre como fazer isso.
- *Conteúdo complementar.* Por meio de *QR CODE*, você será direcionado para conteúdos complementares de aprofundamento. Assim, terá ainda mais informações para a tomada de decisão de consumo!

Em relação à leitura do livro num contexto geral, é recomendado não "pular etapas"! Cada fase é fundamental para atingir o objetivo do planejamento financeiro eficaz.

Então, contenha a ansiedade e vamos dar *um passo de cada vez!*

CAPÍTULO 3

UM POUCO DE EMBASAMENTO

A relação que todo ser humano tem com o dinheiro é intrínseca a sua sobrevivência. Para se alimentar, é preciso ter recursos para a aquisição do alimento desejado. No que se refere à moradia, é necessário investir para se obter um imóvel. Esses são apenas alguns exemplos que demonstram a relação de dependência que todo indivíduo tem do dinheiro, e que tem por base a satisfação de um número vasto de necessidades humanas.

Podemos apresentar como proposta de prioridades humanas a Pirâmide de Maslow. Abraham Harold Maslow (1908-1970) foi um psicólogo norte-americano que se tornou referência em estudos sobre as necessidades humanas. Em um de seus estudos, Maslow propôs uma pirâmide que apresenta uma hierarquia de necessidades humanas, na qual as necessidades de nível mais baixo devem ser satisfeitas antes das necessidades de nível mais elevado, conforme demonstrado na **Figura 1**.

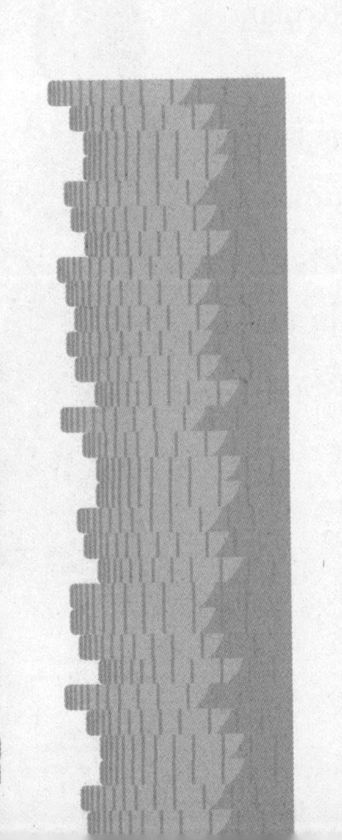

Figura 1 – Pirâmide de Maslow

A teoria de Maslow é conhecida como uma das mais importantes teorias de motivação. Para ele, as necessidades dos seres humanos obedecem a uma hierarquia, ou seja, uma escala de valores a serem transpostos. Isso significa que, quando o indivíduo realiza ou supre uma de suas necessidades, surge outra em seu lugar, exigindo sempre que as pessoas busquem meios para satisfazê-las.

Podemos observar na base da pirâmide as necessidades fisiológicas, imprescindíveis para a sobrevivência humana, tais como alimentação, sono, respiração e homeostase.[1] Dessa forma, o dinheiro, primeiramente, é utilizado para suprir essas condições indispensáveis à manutenção da vida.

---

1. Homeostase é a propriedade de um organismo de permanecer em equilíbrio, independentemente das alterações que acontecem no meio externo. (N.E.)

Em seguida, temos as necessidades de segurança, que remetem ao fato de o indivíduo se sentir seguro em relação a emprego, saúde e família.

No que se refere às necessidades sociais, podemos afirmar que são as necessidades ligadas à manutenção das relações humanas com harmonia, como sentir-se parte de um grupo, receber carinho e afeto dos familiares e amigos.

As necessidades de estima remetem a questões mais íntimas do ser humano. Nessa fase, sentimos necessidade de reconhecimento por parte de familiares e amigos, quer no âmbito pessoal, quer no profissional.

No topo da pirâmide vemos as necessidades de autorrealização, que englobam questões como moralidade, ausência de preconceitos e autoavaliação.

A Pirâmide de Maslow apresenta um comportamento motivacional no qual a necessidade cria estímulos que levam os seres humanos à ação, com o objetivo de satisfazer a necessidade em questão.

Com base no exposto, podemos observar que existe uma relação peculiar entre o dinheiro e as emoções.

Na maioria das vezes, a sua decisão de compra pode ter sido influenciada por uma série de fatores que podem ou não estar associados à sua necessidade de fato.

Já pensou sobre isso?

Reflita sobre as suas últimas compras.

O que adquiriu?
Qual era a real necessidade?
Sua compra foi consciente ou por impulso?

As respostas a essas perguntas são importantes, pois revelam qual é a sua relação com o dinheiro e, consequentemente, com o consumo.

CAPÍTULO 4

INFLUÊNCIAS NO PROCESSO DECISÓRIO

Você já comprou algo porque "todo mundo tem"? Podemos dizer que todos somos influenciados para o consumo pelo meio em que vivemos. Por isso, sempre pergunte se, de fato, você precisava daquilo que adquiriu.

Dependendo do ano em que nasceu, você pode ter ouvido esta frase de sua mãe: **"Você não é todo mundo!"**.

Sim, é preciso fazer uma análise consciente para a tomada de decisão para o consumo, mas nem sempre é possível fazer isso, dado que a nossa bagagem cultural, estrutura familiar e meio em que convivemos, entre outros fatores, influenciam fortemente as nossas decisões.

Estas influências têm domínio sobre você?

Talvez a sua resposta imediata à pergunta seja "não". Vamos refletir a respeito, ok?

Para a análise dessa questão, vamos nos basear no *Caderno de Escolhas e Dinheiro* (2018). Esse *Caderno* apresenta um estudo sobre o comportamento dos brasileiros em relação ao dinheiro.

Apurou-se que essa relação é resultado de diferentes fatores dos quais se destacam a perspectiva histórica, cultura, definições próprias de cada indivíduo, entre outros aspectos.

No que se refere às bagagens históricas, afirma-se que as decisões financeiras estão associadas ao passado econômico e social do Brasil. Quem viveu a época de hiperinflação? Naquele tempo, consumir rapidamente era sinônimo de economizar, devido à rápida desvalorização do dinheiro (ou à elevação diária nos preços dos produtos).

Afinal, o que é inflação?

A inflação pode ser definida como um processo persistente de aumento generalizado dos preços na economia de um país. Pode-se dizer que a maior consequência disso é a redução ou a perda do poder aquisitivo do dinheiro. A inflação origina-se na discrepância entre a demanda e a oferta de bens e serviços. Dessa forma, quanto maior for a diferença entre demanda e oferta, maior tenderá a ser o aumento dos preços e, assim, maiores serão os impactos no rendimento dos indivíduos. No Brasil, o índice oficial da inflação é o IPCA, Índice de Preços ao Consumidor Amplo. Ele é calculado mensalmente pelo IBGE, Instituto Brasileiro de Geografia e Estatística.

É sabido que a inflação diminui consideravelmente o poder de compra das pessoas. Por sua vez, a hiperinflação acontece quando a inflação está elevadíssima e fora de controle. Dessa forma, a alta generalizada e contínua dos preços pode provocar recessão e desvalorização acentuada da moeda. Por sua vez, a recessão corresponde a um período de crise na economia devido à diminuição da atividade econômica. Já a desvalorização da moeda ocorre quando a moeda de determinado país perde valor em relação às moedas de outros países.

Num passado recente, houve um período de hiperinflação no Brasil. Os preços eram remarcados diariamente pelos comerciantes, e a população, para evitar os preços cada vez mais altos, adquiria os produtos sempre que tinha recursos disponíveis. Quem guardasse dinheiro para usá-lo no dia seguinte poderia não conseguir adquirir o bem ou o serviço desejado, pois, devido à inflação, o preço daquele bem ou serviço aumentava até três vezes num único dia!

De acordo com Rossi (2018), no Brasil a hiperinflação ocorreu nos anos 1980 e início da década de 1990, quando a inflação chegou a superar os 80% ao mês. Ou seja, o mesmo produto, por vezes, chegava a dobrar de preço de um mês para o outro. Dados da inflação mostram que entre 1980 e 1989 a inflação média no país foi de 233,5% ao ano. Na década seguinte, entre os anos de 1990 e 1999, a variação anual subiu para 499,2%.

No **Gráfico 1**, podemos observar os dados da inflação (valores em porcentagem) contemplando o período de 1980 a 1994.

Gráfico 1 – Inflação anual acumulada no Brasil de 1980 a 1994 (valores em %).

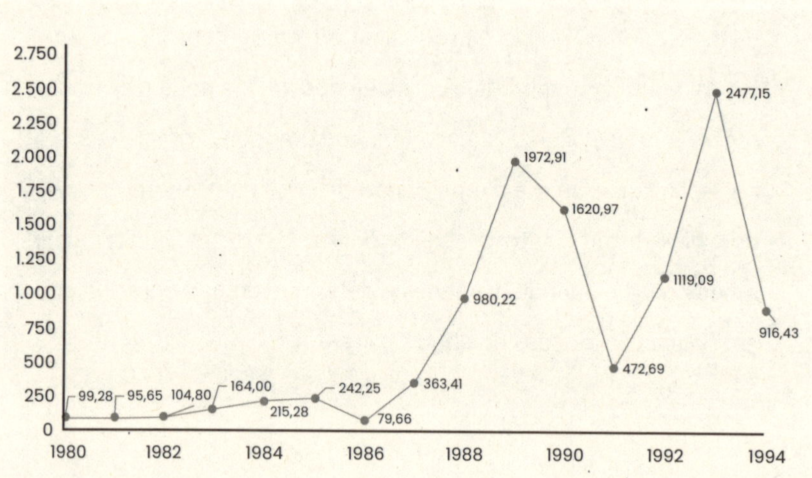

Fonte: *Portal Brasil* (2018).

Desse modo, dentro desse quadro dramático para o brasileiro, não havia condições favoráveis para realização de um planejamento financeiro eficaz.

Adicionalmente, as mudanças de planos econômicos, com alteração das moedas e ajustes econômicos, influenciaram o modo como os indivíduos compreendem a sua relação com o dinheiro e, consequentemente, a sua utilização.

Quer saber mais sobre os planos econômicos e como eles influenciaram o consumo e, consequentemente, o planejamento financeiro?

Leia as páginas 149 a 155 do Capítulo 9, "Você precisa saber!"

É fato afirmar que a hiperinflação contribuiu de forma sistemática para o desenvolvimento de uma cultura ou modo de pensar de curto prazo do brasileiro. O cenário mudou a partir de 1994, com a implementação do *Plano Real*, mas na prática é desafiador superar um quadro de instabilidade. Assim, podemos dizer que no passado não havia motivação para o brasileiro realizar planejamento financeiro, pois, devido às condições econômicas precárias, quase nenhum planejamento se concretizava dada a perda do poder aquisitivo diariamente.

Outro fator preponderante nesse cenário é a taxa de juros. No Brasil, a taxa básica de juros é a Selic. Ela é definida pelo Comitê de Política Monetária do Banco Central do Brasil (Copom) a cada 45 dias, aproximadamente.

Como essa taxa de juros é a básica, é possível afirmar que ela influencia todas as outras taxas utilizadas no mercado. Se estiver alta, a Selic pode impactar na redução do consumo, dado que, por exemplo, a taxa dos empréstimos tenderá a acompanhar esse movimento. O mesmo pode se dizer de quando a Selic está baixa: haverá estímulo ao consumo.

Portanto, é vital entender o melhor momento para consumo, considerando as premissas de mercado, juntamente às necessidades pessoais. No momento em que vai comprar algo, você considera a taxa de juros e como ela impactará o custo do bem que está adquirindo? O quanto, de fato, ele vai custar para você?

Existem muitas peças do mercado direcionando a compra em doze vezes, 24 vezes ou mais, entre outras opções. É preciso saber se haverá juros e quanto será. Diante disso, refletir se faz mais sentido adquirir o bem à vista, acumulando mensalmente o recurso até alcançar o montante para a compra, ou comprar a prazo e assumir os juros decorrentes disso. Essa é uma decisão de consumo, e, para tomá-la, você precisará considerar o seu planejamento financeiro e a sua capacidade de honrar os pagamentos mensais.

Reflita: você é capturado pelas promoções e se endivida ou seu consumo é realizado de forma planejada?

Nas compras a prazo, não basta considerar apenas o valor das parcelas. É preciso compreender o valor total conforme com o prazo e taxas, e se ele estará de acordo com a sua capacidade de renda diante das despesas que terá pela frente.

> Quer saber mais sobre a taxa Selic e os impactos da taxa de juros no planejamento financeiro?
>
> Leia as páginas 155 a 157 do Capítulo 9, "Você precisa saber!"

Isto posto, complementarmente ao estudo apresentado pelo *Caderno Escolhas e Dinheiro* (2018), foi apurado que o brasileiro utiliza o consumo como forma de linguagem social, ou seja, consumo para poder se comunicar.

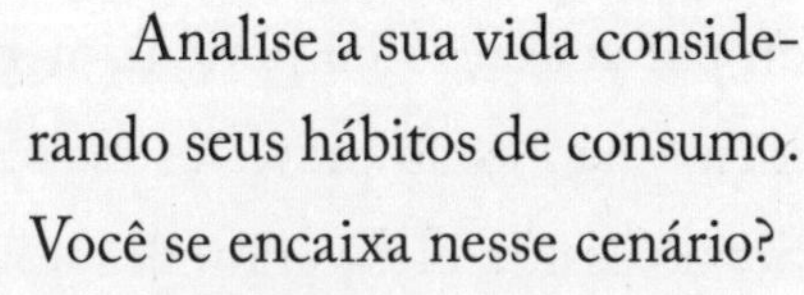

Analise a sua vida considerando seus hábitos de consumo. Você se encaixa nesse cenário?

O consumo em si traz várias mensagens, como saber economizar ou não, ter poder aquisitivo ou não, "estar na moda" ou não.

Vamos considerar como reflexão o espaço que a tecnologia conquistou na sociedade. Pergunto a você:

Quantas vezes você trocou de celular porque um modelo novo foi lançado?

Quantas vezes você comprou uma roupa ou par de sapatos apenas porque "estava na moda"?

Sim, o dinheiro é seu, e você pode fazer com ele o que quiser!

Meu papel é apenas fazer você refletir sobre o uso consciente. Você realmente tinha necessidade de comprar todas as coisas que adquiriu no último ano? Se a resposta for "não", então por que adquiriu isso? Era para ter a sensação de conexão, pertencimento ou fazer parte de algo ou sentir-se integrante de um grupo?

Refletir sobre isso é fundamental, dado que esses consumos por impulso ou por sensação de pertencimento geralmente não estão previstos no orçamento. Sendo assim, eles geram despesas adicionais no planejamento financeiro. Custos adicionais tendem a fazer você se desviar do objetivo proposto. Essa é a questão!

Não estou falando para não comprar absolutamente nada; se for seu desejo adquirir, siga em frente, mas faça isso de forma planejada!

Suplementarmente, destaco a influência de sua família e do círculo social em que está inserido. A forma como você foi criado, a educação que recebeu e as pessoas com as quais convive também influenciam no seu processo de tomada de decisão para o consumo. Afinal, são os exemplos que observou ao longo do tempo e que contribuíram para a sua formação.

Você segue os preceitos e/ou comportamentos de seu pai, da sua mãe ou de algum amigo? Eles são eficientes para você?

Se sim, ótimo!
Se não, que tal criar o
“seu jeito”?

Diante do exposto, é importante conhecer como as suas percepções afetam as escolhas que faz. Para se ter um planejamento financeiro eficaz, é preciso que nossas necessidades, nossos objetivos e nossas escolhas estejam conectados e alinhados. Na prática, foi evidenciado que não é exatamente isso que acontece, pois cada pessoa considera as suas regras e valores com significados próprios.

Por isso, é fundamental refletir sobre cada decisão de consumo para ter mais consciência de suas escolhas financeiras!

CAPÍTULO 5

AFINAL, O QUE É O PLANEJAMENTO FINANCEIRO E QUAIS SÃO SEUS BENEFÍCIOS?

Planejamento financeiro é o processo pelo qual você administra os recursos com o propósito de atingir os objetivos de curto, médio e longo prazos. Para se administrar algo é preciso ter direcionamento, conhecimento e prática; diante disso, parte do objetivo deste livro é ajudar você a fazer um planejamento financeiro pessoal na prática.

Podemos afirmar que o planejamento financeiro contribui de forma estrutural no crescimento da economia de um país, pois proporciona os meios necessários para aumentar o consumo e os investimentos ao ampliar a capacidade de poupança (saldo positivo entre receitas menos despesas) gerada.

A princípio, o planejamento financeiro expõe a real situação financeira do indivíduo ou instituição e, com base nisso, é possível definir as medidas necessárias para gerar a capacidade de poupança exigida para atingir os objetivos e as metas propostas.

À medida que os recursos são administrados com mais eficiência e eficácia devido à disciplina que o planejamento financeiro exige, seja em relação aos gastos, seja ao que você se propôs a poupar, a tendência natural é a racionalização do uso do dinheiro. Isso é assim porque se tem a visão de que todo recurso mal utilizado ou mal investido será prejudicial ao cumprimento dos desafios propostos e alcance dos objetivos.

É importante destacar que o planejamento financeiro pessoal apoia você na prevenção contra situações inesperadas, tendo em vista que é recomendado termos uma reserva financeira para o caso

de emergências e imprevistos. Dessa forma, em casos excepcionais não será necessária a utilização de empréstimos e financiamentos, o que resultará no pagamento de juros; você poderá dispor do próprio recurso acumulado para essa finalidade e fará uma economia considerável. Esse é mais um dos benefícios do planejamento financeiro.

Outro fator importante que o planejamento financeiro proporciona é o controle de gastos. Quando se sabe a real situação financeira, é possível mensurar o que pode ser cortado, reduzido ou eliminado; assim, você poderá maximizar seus recursos.

Adicionalmente, o planejamento proporciona educação financeira, mostrando na prática a importância de economizar e gerar capacidade de poupança.

O planejamento financeiro também corrobora a conscientização do consumo, dado que a utilização do recurso é feita de forma a seguir o planejamento proposto. Assim, evitam-se dívidas desnecessárias.

Com capacidade de poupança, é possível realizar investimentos, maximizando seus recursos. É claro, sempre respeitando o seu perfil de investidor, os objetivos e prazos.

Complementarmente, por meio do planejamento financeiro é possível ter um quadro real para vida e morte (sim, para a morte também) por meio do planejamento sucessório.

Então, *vamos fazer o seu*?

CAPÍTULO 6

CONSIDERAÇÕES IMPORTANTES

Antes de iniciarmos o planejamento financeiro, é preciso esclarecer alguns aspectos essenciais para que alcancemos a eficácia almejada.

1 **Não misture o seu planejamento financeiro pessoal com o de sua empresa.** São dois planejamentos diferentes com necessidades distintas. Aqui, seguiremos com foco no planejamento financeiro pessoal.

2 **Cada caso é um caso.** Este planejamento financeiro é a base para nortear sua vida financeira; para cada pessoa podem existir circunstâncias únicas. Sendo assim, com base no que verá a seguir, adapte a sua realidade se for necessário.

3 **Utilize uma folha e/ou tabela como recomendado.** A princípio, o propósito do planejamento financeiro é criar sensibilização a respeito de sua vida financeira, considerando detalhes importantes. A utilização de aplicativos é

recomendada após três meses de prática manual. Então, siga a metodologia e as recomendações à risca!

4

Atente-se aos detalhes mencionados, pois eles são fundamentais para a elaboração adequada de seu planejamento financeiro.

CAPÍTULO 7

AUTOAVALIAÇÃO. QUAL É O SEU ÍNDICE DE SAÚDE FINANCEIRA DO BRASILEIRO (I-SFB)?

Antes de iniciarmos o seu planejamento financeiro na prática, é importante você ter um diagnóstico de sua situação financeira atual.

Em julho de 2021, a Febraban (Federação Brasileira de Bancos), em parceria com o Banco Central do Brasil, lançou o I-SFB (Índice de Saúde Financeira do Brasileiro). Trata-se, em linhas gerais, de um teste para mapeamento da saúde financeira do brasileiro.

Esse teste se divide em seis em dimensões, conforme demostrado na **Figura 2**.

Figura 2 – Dimensões do I-SFB.

Base Financeira

Liberdade Financeira

Liberdade:
É ter opções na vida.
Não se sentir constrito, amarrado, limitado.

Habilidade:
Capacidade de tomar decisões financeiras.

Também de buscar e entender informações importantes para a vida financeira.

Habilidade Financeira

Segurança Financeira

Segurança:
Capacidade de cumprir as obrigações financeiras.

Percepção sobre a própria situação financeira e se ela é fonte de preocupação e estresse na sua vida.

Índice de Saúde Financeira do Brasileiro

Comportamento:
Disciplina e controle.
Saber cumprir metas, não gastar muito, saber poupar.

Comportamento Financeiro

Proficiência Financeira

Proficiência:
Somatória de habilidade e comportamento financeiro.

Fonte: Febraban (2021).

Ter um bom I-SFB significa:

- Ser capaz de cumprir suas obrigações financeiras;
- Ser capaz de tomar boas decisões financeiras;
- Sentir-se seguro quanto ao presente e ao futuro financeiro;
- Ter liberdade de fazer escolhas que permitam a você aproveitar a vida.

Portanto, todos os temas relacionados à realização de um planejamento financeiro eficaz!

Mas, afinal, o que é um bom resultado de I-SFB? Veja isso na **Figura 3**.

Figura 3 – Significado do resultado I-SFB: faixas de saúde financeira.

Faixas de pontuação	Faixas de Saúde Financeira	
83 a 100	Ótima	Vida financeira sem estresse. Finanças proporcionam segurança e liberdade financeira.
69 a 82	Muito Boa	Domínio do dia a dia, mas precisa dar o salto do patrimônio.
61 a 68	Boa	Básico bem-feito.
57 a 60	Ok	Equilíbrio financeiro no limite – com pouco espaço para erro.
50 a 56	Baixa	Primeiros sinais de desequilíbrio e risco de entrar em alto estresse financeiro.
37 a 49	Muito Baixa	Risco de atingir uma situação crítica.
0 a 36	Ruim	Círculo de fragilidade, estresse e desorganização financeira.

Fonte: Febraban (2021).

Antes de fazer o teste, em que faixa você acredita que está com base apenas nas definições?

Destaco que, em pesquisa realizada pela Febraban (2021), apurou-se que a média do brasileiro é de 57 pontos. Segundo o estudo realizado pela entidade, o padrão de resposta dos brasileiros revelou que "as pessoas lutam por uma vida financeira estruturada, para fechar as contas do mês e a difícil missão que é ter reservas para emergências". Adicionalmente, os respondentes da pesquisa destacam "a necessidade de ter mais informações sobre finanças; incertezas quanto à maneira como lidam com o dinheiro e insegurança quanto ao futuro".

Complementarmente, a pesquisa apontou que os brasileiros:

- Vivem em um limite justo entre renda e gastos;
- Veem raramente sobrar dinheiro no fim do mês;
- Convivem com estresse por causa dos compromissos;
- Não se sentem capazes de reconhecer um bom investimento;
- Não conseguem perceber quando precisam de orientação;
- Sentem que não estão garantindo o futuro financeiro;
- Admitem que outro jeito de lidar com o dinheiro permitiria aproveitar melhor a vida.

Você se enquadra nas situações mencionadas acima?
Por isso, o planejamento financeiro é extremamente fundamental!

Bem, agora *siga com o teste.*

O resultado certamente mostrou o quanto precisa do planejamento financeiro. E, mesmo que tenha um bom índice, o planejamento financeiro é essencial, dado que as condições de vida podem se alterar ao longo do tempo.

É essencial destacar que o resultado desse mapeamento mostra uma visão de como você está hoje. O futuro é você quem constrói com base em suas atitudes e decisões.

Vamos *construí-lo juntos*!?

CAPÍTULO 8

O PLANEJAMENTO FINANCEIRO – CONHEÇA O ROTEIRO E MÃOS À OBRA!

O modelo de planejamento financeiro pessoal proposto consiste em cinco etapas. Cada etapa é fundamental e vital para a continuidade do processo.

São elas:

- **Etapa I** – Autoconhecimento: conhecer a situação financeira atual.
- **Etapa II** – Construir e otimizar o fluxo financeiro.
- **Etapa III** – Reservas financeiras, proteções, definição de sonhos e projetos.
- **Etapa IV** – Praticar e monitorar o progresso.
- **Etapa V** – Agora é com você!

Em cada etapa há mapeamentos e atividades essenciais para o sucesso do planejamento. Siga-as conforme indicado.

Para nortear suas ações, é importante seguir o roteiro considerando três meses de prática manual que teremos.

A cada etapa, mapeamento e atividade devem ser realizados conforme exposto no roteiro da **Figura 4**, para maior eficácia do projeto.

Mas fique tranquilo, cada etapa será explicada e detalhada a seguir.

	Mês	Período de realização
Etapa I – Autoconhecimento: conhecer a situação financeira atual		
A – Suas receitas	1º mês	no decorrer do mês
B – Suas despesas	1º mês	no decorrer do mês
C – Suas dívidas	1º mês	no decorrer do mês
Etapa II – Construir e otimizar seu fluxo financeiro		
A – Construção do seu fluxo financeiro	2º mês	início e no decorrer do mês
B – Otimização do fluxo financeiro	2º mês	no decorrer do mês
C – Compreender as necessidades de crédito	2º mês	no decorrer do mês
Etapa III – Reservas financeiras, proteções, definição de sonhos e projetos		
A – Construção da reserva de emergência	2º mês	no decorrer do mês
B – Construção da reserva de aposentadoria	2º mês	no decorrer do mês
C – Reserva para seus sonhos e projetos!	2º mês	no decorrer do mês
D – Proteger o patrimônio	2º mês	no decorrer do mês
E – Sucessão	2º mês	no decorrer do mês
Etapa IV – Praticar e monitorar o progresso		
A – Planejamento Financeiro	3º mês	início e no decorrer do mês
Etapa V – Agora é com você!		
Agora é com você!	4º mês	para sempre!

A cada etapa concluída, você terá um *prêmio*!

Poderá resgatar sua *estrela*!

Após concluir cada etapa,
você receberá as orientações!
Permaneça atento!

ETAPA

I

8.1 Etapa I – Autoconhecimento: conhecer a situação financeira atual

A – Suas receitas

O primeiro passo é elencar as fontes de renda, tais como salário, aluguel ou outras. Além disso, é preciso determinar se as receitas são fixas ou variáveis, pois isso influencia diretamente no processo de planejamento financeiro. Se você for um funcionário assalariado de empresa no regime CLT (Consolidação das Leis do Trabalho), seu salário é fixo, ao passo que, se for profissional autônomo, seu rendimento tende a ser variável. No segundo caso, é preciso realizar uma estimativa de ganho médio mensal considerando os últimos doze meses.

Vamos considerar que a receita líquida de impostos seja profissional CLT, modelo autônomo ou outro.

Descreva sua renda mensal: **R$**

Outro aspecto importante a considerar, no caso de profissional autônomo, é se existe sazonalidade, ou seja, se existem meses em que a renda é muito alta ou mais baixa. Nessa situação, uma média pode distorcer a renda. Se esse for seu caso, exponha sua renda de acordo com os valores recebidos no último mês equivalente, ou seja, se este mês é janeiro/2021, qual foi a sua renda no mês de janeiro/2020? Nosso objetivo é aproximar a sua realidade de renda, para evitar distorções.

Adicionalmente, vamos considerar as remunerações de férias, décimo terceiro, bônus e outras rendas, se houver.

Agora exponha as suas informações na **Tabela 1 – Descrição das receitas**, disponível no Anexo A.

Anexo A

Instruções para preenchimento:

a. Identifique o ano-calendário. Exemplo: 2021.

b. Na coluna "Nome do mês", descreva o mês em que iniciará seu planejamento, e na sequência os seguintes. Exemplo: se você está no mês de setembro, o primeiro mês que vai inserir é esse, e depois virá o mês de outubro e assim sucessivamente.

c. Na coluna "Valor da renda líquida", descreva o valor de sua renda mensal, líquida de impostos, ou seja, o que efetivamente recebeu. Exemplo: R$ 3.000,00. Adicionalmente, é importante incluir os valores de 13°, férias, bonificações e outras rendas, se houver.

d. Após inserir todos os dados em ambas as colunas, some o valor de todas as rendas para você ter referência de seus ganhos nos últimos 12 meses. É uma referência fundamental para, posteriormente, compararmos com as despesas.

Tabela 1 – Descrição da renda

Descrição da Renda	
Identificação do ano ________	
Nome do mês	Valor da Renda Líquida
Mês de: ________________	
Mês de: ________________	
Mês de: ________________	
Mês de: ________________	
Mês de: ________________	
Mês de: ________________	
Mês de: ________________	
Mês de: ________________	
Mês de: ________________	
Mês de: ________________	
Mês de: ________________	
Mês de: ________________	
1ª Parcela 13º ________________	
2ª Parcela 13º ________________	
Férias	
Bonificação	
Outras	
Total	

Pronto, você finalizou esta etapa!
Agora, retome a leitura do livro.

Sim, *precisa escrever*!

Como mencionei, esta metodologia prevê a conscientização por meio da sensibilização.

Considere os últimos doze meses. Fique tranquilo, pois todas as orientações para preenchimento estão descritas no anexo.

E é fundamental concluir esta fase antes de iniciar as seguintes.

Concluiu?

Não? Evite se autossabotar,
faça sua planilha de receitas.

Sim? Então *vamos continuar*!

B – Suas despesas

Seguiremos agora para o levantamento e a classificação das despesas, ou seja, seus gastos.

Escolha um mês para iniciar. Nesse momento, estamos em nosso primeiro mês de atividades manuais.

Neste processo, é fundamental o nível de detalhe, e toda despesa é importante. Sabe aquele “cafezinho” de início ou final de tarde? Aquela pizza ou jantar no final de semana? Devem estar nesse levantamento!

Você listará todas as suas despesas; depois, vamos classificá-las em fixas ou variáveis.

Pode-se citar como despesas fixas os gastos com moradia (aluguel, prestação do imóvel, impostos), alimentação, educação, telefonia, parcelas de dívidas e financiamentos em geral. Alguns autores dos temas de finanças recomendam que despesas constantes e com elevado nível de necessidade sejam tratadas como fixas. Dessa forma, consideram-se ainda como despesas fixas os custos com água, luz, gás e condomínio. Recomendo adicionar como despesa fixa o item medicamentos se no seu caso for uma despesa recorrente mensal em função de alguma doença ou comorbidade.

No caso das despesas variáveis, citam-se os gastos com lazer (passeios, viagens, teatro), vestuário, gastos pessoais para o bem-estar (tais como cabeleireiro e academia), entre outros.

Pode ser que a princípio você não tenha todas as informações necessárias reunidas, por nunca ter feito nenhum controle, ou, ainda, o tenha feito, mas de maneira incompleta. Dessa forma, para que sejam capturadas todas as despesas, recomendo que você faça o seguinte exercício: anote o que se recorda e acrescente em seguida o que for surgindo ao longo do mês. No segundo mês, terá uma previsibilidade maior com base nesse último mês que já terá sido apurado.

Ainda no âmbito das despesas, é importante dar um nome ao seu imóvel! Se tiver mais de um, coloque nomes diferentes. Se você morar de aluguel, também nomeie; em breve você poderá ter o seu imóvel, se esse for seu objetivo! Isso dependerá da sua capacidade de poupança e da disciplina na realização do seu planejamento financeiro.

Classificar as despesas entre fixas e variáveis é fundamental para o planejamento financeiro no que concerne a previsibilidade.

Como referência, para despesas que são variáveis, você pode considerar o custo médio ou o valor do último mês. Ao longo da prática do planejamento, o objetivo é que tenhamos uma previsibilidade maior dessas despesas.

Outro aspecto importante é classificar a periodicidade. O gasto é diário, mensal, bimestral, trimestral, semestral ou anual? Por exemplo, se o gasto for anual, é possível dividir o valor por doze vezes e ir "guardando" mensalmente. Assim, evita-se um desembolso expressivo em dado momento. Exemplos para isso são as despesas recorrentes anuais de IPVA (Imposto sobre Propriedade de Veículos Automotores) e IPTU (Imposto Predial e Territorial Urbano).

A tabela de despesas é de preenchimento livre justamente para ajudá-lo a resgatar todas as despesas. Isso mostrará a conscientização ou não que você tem de seus gastos.

Como mencionei, faça isso ao longo do mês para anotar todas as despesas, todas, viu! O café da padaria, o sorvete de final de semana, o cinema, o táxi, o presente de última hora, enfim, todas as compras que fez.

Sei que está no manual, e o objetivo é este mesmo: você precisa visualizar, racionalizar e conscientizar-se do que está anotando!

Por enquanto, estamos na fase do levantamento. Esta etapa é fundamental para o desenvolvimento das próximas.

Vamos lá!

Preencha a **Tabela 2 – Descrição das despesas**, disponível no Anexo B.

Mantenha a serenidade, todas as orientações para preenchimento se encontram no Anexo B.

Anexo B

Instruções para preenchimento:

a. Identifique o mês no qual está fazendo este levantamento. Exemplo: agosto.
b. Identifique o ano-calendário. Exemplo: 2021.
c. Na coluna "Descrição da despesa", identifique as despesas que serão lançadas. Exemplos: água, luz, gás, telefone, aluguel, prestação da casa etc.
d. Na coluna "Valor em R$", insira o valor desse custo.
e. Na coluna "Classificação: fixa ou variável", faça a indicação das despesas, se fixas ou variáveis, conforme instruções e exemplos que recebeu neste livro.
f. Na coluna "Periodicidade", insira a periodicidade dessa despesa: se mensal, bimestral, anual etc.
g. Após lançar todos os dados, some os valores de suas despesas. Qual é o valor mensal de suas despesas?
h. Importante: se a quantidade de linhas da tabela não for suficiente para você lançar todas as suas despesas, utilize mais de uma tabela e depois some todos os valores.

É essencial realizar e concluir esta fase
antes de seguir para as demais.

Tabela 2 – Descrição das despesas

Descrição das Despesas			
Descrição do mês: ______________			
Descrição do ano: ______________			
Descrição da despesa	**Valor em R$**	**Classificação: fixa ou variável**	**Periodicidade**
Total			

Pronto, você finalizou esta etapa!
Agora, retome a leitura do livro.

Ao concluir esta fase, você terá o valor de seu custo mensal. Ele é fundamental para o planejamento financeiro e o embasamento de decisões de investimento e consumo.

Insira as informações abaixo.

Qual foi o custo total mensal que apurou? **R$**

Qual foi o custo total de suas despesas fixas? **R$**

Qual foi o custo total de suas despesas variáveis? **R$**

Concluiu o preenchimento da tabela?

Não? *Por quê?*

Lembre-se: conhecer seus gastos é fundamental para a sua saúde financeira.
Tenha coragem! Lembre-se dos sonhos e dos projetos que quer conquistar!

Sim.

Qual foi a sensação que teve ao iniciar o preenchimento das suas despesas? Você conhecia realmente todos os seus gastos? Tinha conhecimento do valor de seu custo mensal? Viu como é importante o acompanhamento?

Agora *vamos continuar*!

C – Suas dívidas

Sim, dívida também é despesa. Portanto, já deveria ter sido lançada em sua tabela de Descrição das despesas.

Dada a relevância do tema, ele é abordado especificamente.

É imprescindível que você saiba o quanto do seu orçamento é consumido por dívidas, sejam empréstimos, sejam financiamentos. Além disso, é importante que você tenha consciência dos custos que assumiu com essa dívida para, se for o caso, adquirir empréstimo com taxas de juros mais barata, a fim de custear outro empréstimo com juro elevado; mas, para isso, você precisa saber hoje a taxas de juros que assumiu.

Adicionalmente, é fundamental conhecer a modalidade do crédito, haja vista que os juros são maiores quando há dívidas com o cartão de crédito ou cheque especial, por exemplo.

Lembre-se: a utilização do cheque especial compreende uma dívida. O cheque especial é uma linha de crédito, e não um complemento de seu salário!

Quer saber mais sobre esta linha de crédito, juros e outras informações essenciais do cheque especial?

Leia as páginas 157 a 161 do Capítulo 9, "Você precisa saber!"

Em continuidade, no caso de dívidas em atraso, é possível negociar diretamente com as instituições financeiras ou empresas com desconto e taxas de juros menor para pagamento à vista.

Para entender as dívidas, você deverá descrever, além do tipo de dívida e taxas de juros embutida, se o empréstimo em questão está ou não em atraso, o valor da parcela e o prazo (em meses) que falta para concluir o pagamento.

É importante destacar que, se você não tiver essas informações, será preciso ligar para as empresas a informar-se sobre elas.

Complementarmente a esse levantamento, além das taxas de juros ao mês, é preciso conhecer as taxas de juros anuais e o Custo Efetivo Total (CET). O CET compreende todos os encargos e despesas incidentes nas operações de crédito contratadas por pessoas físicas, microempresas e empresas de pequeno porte.

Se você estiver em atraso com alguma dívida, recomendo negociar com seus credores. Antes de fechar a negociação, vamos concluir essa etapa para você conhecer sua capacidade de poupança e poder saber exatamente o valor que poderá pagar mensalmente ou, ainda, se é possível fazer a quitação à vista. É importante nesse momento ligar para os credores e conhecer os detalhes da sua dívida, tomando nota das condições disponíveis para negociação.

E, ainda, você poderá não ter nenhuma dívida em atraso, mas existem algumas possibilidades de reduzir seus custos, por exemplo, a portabilidade do financiamento imobiliário ou a contratação de um empréstimo com taxas de juros menor para quitar outro empréstimo com taxas de juros maior.

Você sabia que existe um lugar oficial que registra todas as suas dívidas atuais e passadas de forma centralizada?

É o Registrato.

O Registrato é uma ferramenta do Banco Central do Brasil que reúne informações gratuitas de dívidas com bancos e órgãos públicos, contas, chaves Pix e operações de câmbio. É preciso mencionar que os relatórios são sigilosos e só podem ser visualizados por você ou por alguém autorizado por você. É fundamental consultá-los regularmente, pois, além de acompanhar suas dívidas e outros aspectos, conseguirá identificar se existe algo em seu nome que não foi feito por você; assim, poderá tomar as medidas necessárias com os referidos órgãos.

> Quer saber mais sobre Registrato e como acessar o seu perfil?
>
> Leia as páginas 161 a 168 do Capítulo 9, "Você precisa saber!"

É relevante destacar que todas as dívidas devem compor o planejamento financeiro nas despesas fixas, e o pagamento deve ser tido como prioritário, bem como os demais custos fixos.

Para apoio nesta fase, faça uso da **Tabela 3 – Descrição das dívidas**, disponível no anexo C.

Instruções para preenchimento:

a. Identifique o mês no qual está fazendo esse levantamento. Exemplo: agosto.
b. Identifique o ano-calendário. Exemplo: 2021.
c. Na coluna "Identificação da dívida", nomeie sua dívida. Exemplos: cartão de crédito, cheque especial, crédito pessoal, financiamento imobiliário, financiamento de automóvel etc. Insira cada dívida em uma linha.
d. Na coluna "Taxas de juros ao mês", insira a taxa de juros de cada dívida lançada.
e. Na coluna seguinte, descreva se a dívida está em atraso: "sim" ou "não".
f. Na coluna "Valor da parcela em R$", identifique o valor da parcela mensal.
g. Na coluna "Prazo (em meses)", descreva o prazo em meses que resta para quitação completa da dívida. Exemplo, se tem uma dívida que fez em 24 meses, mas já pagou quatro meses, restam vinte meses. Sendo assim, você deve inserir vinte meses nessa coluna para essa dívida.
h. Na coluna "Valor total da dívida neste momento", descreva o valor total que resta para pagamento integral da dívida.
i. Após esse levantamento, some o total na coluna "Valor da parcela em R$". Esse resultado é o valor fixo mensal de suas dívidas.

j. Agora, some o valor total da coluna “Valor total da dívida neste momento”. Esse resultado compreende o saldo total de suas dívidas.

Tabela 3 – Descrição das dívidas

Descrição das dívidas

Descrição do mês: ______________

Descrição do ano: ______________

Identificação da dívida	Taxa de juros ao mês	Em atraso (sim/não)	Valor da parcela em R$	Prazo (em meses)	Valor total da dívida neste momento
		TOTAL:			

Pronto, você *finalizou esta etapa*!
Agora, retome a leitura do livro.

Concluiu?

Não? Reflita sobre a importância
do planejamento financeiro para você.

O que quer conquistar?

Quais são os seus sonhos?

O planejamento apoia você em suas
conquistas. *Seja protagonista e continue.*

Sim.

Parabéns,

você finalizou a etapa I!

Você pode resgatar seu prêmio, *a sua 1ª estrela*!
Vamos juntos *construir a sua constelação*!

Mas agora vamos para a Etapa II. Avante!

ETAPA

ETAPA II

8.2 Etapa II – Construir e otimizar seu fluxo financeiro

A – Construção do seu fluxo financeiro!

Ufa, chegamos a esta etapa, que é vital para a análise financeira e de seu planejamento. Até aqui, estávamos nos levantamentos, que são imprescindíveis para a eficácia deste planejamento financeiro.

Agora que você já sabe as suas receitas e despesas, vamos construir o seu fluxo financeiro.

Antes disso, vamos fazer uma análise importante. Responda:

Qual foi o valor apurado de suas receitas no mês? **R$**

Qual foi o valor apurado de suas despesas no mês? **R$**

Qual é a diferença entre suas receitas
menos as suas despesas? **R$**

Esse resultado evidencia e muito como está a sua saúde financeira no momento.

Se o resultado obtido for positivo, existe capacidade de poupança, ou seja, as receitas são maiores que as despesas. Mas, se as despesas são maiores que as receitas, você está deficitário, e isso é um grande sinal de alerta: o planejamento financeiro é ainda mais essencial para você.

Se estiver equilibrado, ou seja, se suas receitas são exatamente iguais às suas despesas, é sinal de atenção, pois qualquer ação poderá fazer com que você entre no vermelho.

Estamos no 2º mês de levantamento. Dessa forma, como você lançou todas as despesas do último mês na Etapa anterior deste livro, tem informações concretas e reais sobre suas despesas.

Para realização de seu fluxo financeiro, mais uma vez você incluirá suas receitas e despesas numa tabela/planilha. Sim, é fundamental esse exercício! Nela você descreverá as despesas, considerando classificações macro adicionalmente às segregações que fizemos entre fixa e variável.

As classificações macro têm como objetivo mensurar gastos de classes específicas, tais como:

- **Moradia:** neste ponto, você considera as parcelas de seu financiamento, o custo de seu aluguel, além dos custos fixos desse imóvel, tais como água, energia elétrica, gás, condomínio etc.
- **Alimentação:** nesta categoria você elenca todos os gastos com mercado, padaria e que envolvam alimentação de forma geral.
- **Reservas:** inclua custos com reservas previstas. Trataremos desse tema com mais profundidade na Etapa III.
- **Saúde:** considere gastos com planos de saúde, remédios, prevenções, entre outros.
- **Dívidas:** inclua e detalhe todas as suas dívidas.
- **Cartão de crédito:** insira todos os custos, mesmo os de pequeno valor.
- **Transporte:** considere despesas como gasolina, locomoção, táxi, entre outras.
- **Autodesenvolvimento:** considere despesas com cursos, formação profissional e educacional e autodesenvolvimento de forma geral.

- **Vestuário:** inclua despesas com roupas e vestuário em geral.
- **Presentes e doações:** inclua custos com presentes e doações.
- **Entretenimento e viagens:** insira custos previstos com viagens, cinema, *streaming*, enfim, entretenimento em geral.
- **Telefonia e internet:** inclua custos com telefonia fixa e móvel e gastos com internet.
- **Outros custos:** inclua as despesas que não se enquadrem nas categorias anteriores.

Adicionalmente, na categoria "Outros", se você tiver um *pet*, poderá criar uma categoria exclusiva para ele com o nome do seu animal de estimação. Afinal, ele é seu "amigo". Assim, você conseguirá projetar e se preparar para os custos envolvidos no cuidado e futuro de seu *pet*.

Depois disso, você vai construir o seu fluxo financeiro do mês seguinte, ou seja, o 2º mês. Isso significa que vai inserir informações de todas as receitas e despesas na **Tabela 4 – Fluxo Financeiro**, disponível no anexo D.

Os valores das receitas e despesas previstas você inserirá na coluna "Valor projetado", ou seja, o que estima receber e gastar. Ao longo do mês, conforme for efetuando os pagamentos, você vai inserir os valores efetivos, isto é, aqueles que realmente pagou ou recebeu na coluna "Valor realizado" e, ao lado, a data efetiva do pagamento. Ao final do mês, vamos apurar a diferença entre o projetado e o realizado, para saber o quanto a projeção foi eficaz.

Fique tranquilo, você terá todas as orientações para preencher a tabela no anexo.

Importante: no decorrer do mês, se surgirem despesas que não estavam previstas, você acrescentará à Tabela, inserindo o valor diretamente na coluna "Valor realizado", conforme as categorias; ou seja, considerará se foi uma despesa que ocorreu, se não estava planejada e você a realizou.

Vamos *construir o seu fluxo*!

Acesse a **Tabela 4 – Fluxo financeiro**, no Anexo D.

Esta etapa é fundamental. Ela demostrará o quão previsível suas despesas são, ou seja, o quanto você realmente conhece sua vida financeira. E, haja vista que já fez um primeiro levantamento, este deverá ser ainda mais efetivo.

Instruções para preenchimento:

1. Na primeira linha da tabela, insira o ano-calendário e o mês referência. Exemplo: 2021; agosto.
2. Em seguida, preencha as Receitas.
   a. Na coluna "Descrição das receitas", descreva as receitas que prevê que receberá nesse mês. Exemplos: salário, aluguel, aposentadoria, entre outras rendas.
   b. Na coluna "Valor projetado", que está ao lado da coluna "Descrição das receitas", insira o valor em reais das receitas que receberá.
   c. Ao longo do mês, preencha a coluna "Valor realizado", ainda em receitas. Nessa coluna, você deve inserir o valor que realmente recebeu como renda.
   d. Conforme for preenchendo a coluna "Valor realizado", preencha a coluna "Data" no início da tabela. Assim saberá o quando efetivamente recebeu.
3. Agora, preencha as Despesas; o racional é semelhante.
   a. No início do mês, na parte das despesas, preencha as colunas "Descrição das despesas" e "Valor projetado" de acordo com as categorias definidas. É imprescindível que você preencha a coluna "Projetado" no início do mês.
   b. É fundamental preencher as despesas de acordo com as categorias. Assim, você identificará onde estão alocados seus maiores gastos.

c. No decorrer do mês, você deve preencher as colunas "Valor realizado" e "Data" conforme as despesas forem ocorrendo. Assim, verá efetivamente se o que projetou ocorreu de fato e qual foi o valor real.

d. Ao longo do mês, você poderá preencher a coluna "Diferença entre projetado e realizado", ou seja, o que projetou e o que efetivamente aconteceu. Exemplo: suponha a despesa de energia elétrica no valor de R$ 80,00; esse custo é o "Valor projetado". No decorrer do mês, dia 6, ao receber a conta de luz, foi identificado que o "Valor realizado" foi de R$ 86,00, ou seja, maior que o projetado. Dessa forma, a "Diferença entre projetado e realizado" foi de -R$ 6,00.

4. Reforço importante: a coluna "Valor projetado" deve ser preenchida no início do mês, e a coluna "Valor realizado" deve ser preenchida ao longo do mês, conforme as receitas ou despesas forem ocorrendo. Complementarmente, é importante inserir a data em que efetivamente as receitas e despesas ocorreram.

5. No fim do mês, após apurar todas as receitas e despesas, é importante preencher a tabela **Resultado Consolidado**, que está no final do fluxo financeiro. Você deve inserir os valores totais de suas receitas e despesas, sendo: projetado, realizado e diferença entre projetado e realizado. Em seguida, deve fazer uma conta de subtração, receitas menos despesas, em todas as colunas desse Resultado Consolidado.

Tabela 4 – Fluxo financeiro

	Ano: ______		Mês: ______		
	RECEITAS				
	DATA	Descrição das Receitas	Valor Projetado	Valor Realizado	Diferença entre Projetado e Realizado
					R$ 0,00
					R$ 0,00
					R$ 0,00
					R$ 0,00
					R$ 0,00
		Total Receitas	R$ 0,00	R$ 0,00	R$ 0,00
	DESPESAS				
MACROCATEGORIAS	DATA	Descrição das Despesas	Valor Projetado	Valor Realizado	Diferença entre Projetado e Realizado
MORADIA					R$ 0,00
					R$ 0,00
					R$ 0,00
					R$ 0,00
					R$ 0,00
					R$ 0,00
					R$ 0,00
					R$ 0,00
	TOTAL		R$ 0,00	R$ 0,00	R$ 0,00
ALIMENTAÇÃO					R$ 0,00
					R$ 0,00
					R$ 0,00
					R$ 0,00
					R$ 0,00
					R$ 0,00
					R$ 0,00
					R$ 0,00
					R$ 0,00
					R$ 0,00
					R$ 0,00
					R$ 0,00
					R$ 0,00
	TOTAL		R$ 0,00	R$ 0,00	R$ 0,00
RESERVAS FINANCEIRAS					R$ 0,00
					R$ 0,00
					R$ 0,00
					R$ 0,00
					R$ 0,00
					R$ 0,00
					R$ 0,00
					R$ 0,00
					R$ 0,00
					R$ 0,00
	TOTAL		R$ 0,00	R$ 0,00	R$ 0,00
DÍVIDAS					R$ 0,00
					R$ 0,00
					R$ 0,00
					R$ 0,00
					R$ 0,00
					R$ 0,00
					R$ 0,00
					R$ 0,00
					R$ 0,00
					R$ 0,00
	TOTAL		R$ 0,00	R$ 0,00	R$ 0,00
CARTÃO DE CRÉDITO					R$ 0,00
					R$ 0,00
					R$ 0,00
					R$ 0,00
					R$ 0,00
					R$ 0,00
					R$ 0,00
					R$ 0,00
					R$ 0,00
					R$ 0,00
					R$ 0,00
					R$ 0,00
	TOTAL		R$ 0,00	R$ 0,00	R$ 0,00
SAÚDE					R$ 0,00
					R$ 0,00
					R$ 0,00
					R$ 0,00
					R$ 0,00
					R$ 0,00
					R$ 0,00
					R$ 0,00
					R$ 0,00
					R$ 0,00
	TOTAL		R$ 0,00	R$ 0,00	R$ 0,00
TRANSPORTE					R$ 0,00
					R$ 0,00
					R$ 0,00
					R$ 0,00
					R$ 0,00
					R$ 0,00
					R$ 0,00
					R$ 0,00
					R$ 0,00
					R$ 0,00
					R$ 0,00
					R$ 0,00
					R$ 0,00
					R$ 0,00
	TOTAL		R$ 0,00	R$ 0,00	R$ 0,00

VESTUÁRIO					R$ 0,00
					R$ 0,00
					R$ 0,00
					R$ 0,00
					R$ 0,00
					R$ 0,00
					R$ 0,00
					R$ 0,00
					R$ 0,00
					R$ 0,00
					R$ 0,00
					R$ 0,00
	TOTAL		R$ 0,00	R$ 0,00	R$ 0,00
PRESENTES E DOAÇÕES					R$ 0,00
					R$ 0,00
					R$ 0,00
					R$ 0,00
					R$ 0,00
					R$ 0,00
					R$ 0,00
					R$ 0,00
					R$ 0,00
					R$ 0,00
					R$ 0,00
					R$ 0,00
					R$ 0,00
	TOTAL		R$ 0,00	R$ 0,00	R$ 0,00
ENTRETENIMENTO E VIAGENS					R$ 0,00
					R$ 0,00
					R$ 0,00
					R$ 0,00
					R$ 0,00
					R$ 0,00
					R$ 0,00
					R$ 0,00
					R$ 0,00
					R$ 0,00
					R$ 0,00
					R$ 0,00
					R$ 0,00
					R$ 0,00
					R$ 0,00
					R$ 0,00
					R$ 0,00
					R$ 0,00
	TOTAL		R$ 0,00	R$ 0,00	R$ 0,00
AUTODESENVOLVIMENTO					R$ 0,00
					R$ 0,00
					R$ 0,00
					R$ 0,00
					R$ 0,00
					R$ 0,00
					R$ 0,00
					R$ 0,00
					R$ 0,00
					R$ 0,00
					R$ 0,00
					R$ 0,00
					R$ 0,00
					R$ 0,00
					R$ 0,00
					R$ 0,00
					R$ 0,00
					R$ 0,00
	TOTAL		R$ 0,00	R$ 0,00	R$ 0,00
TELEFONIA E INTERNET					R$ 0,00
					R$ 0,00
					R$ 0,00
					R$ 0,00
					R$ 0,00
					R$ 0,00
					R$ 0,00
					R$ 0,00
					R$ 0,00
					R$ 0,00
	TOTAL		R$ 0,00	R$ 0,00	R$ 0,00
OUTROS CUSTOS					R$ 0,00
					R$ 0,00
					R$ 0,00
					R$ 0,00
					R$ 0,00
					R$ 0,00
					R$ 0,00
					R$ 0,00
					R$ 0,00
					R$ 0,00
					R$ 0,00
					R$ 0,00
					R$ 0,00
					R$ 0,00
					R$ 0,00
					R$ 0,00
	TOTAL		R$ 0,00	R$ 0,00	R$ 0,00
	TOTAL (Resultado Mensal)		R$ 0,00	R$ 0,00	R$ 0,00

	Resultado Consolidado		
	Valor Projetado	Valor Realizado	Diferença entre Projetado e Realizado
Total Receitas			
Total Despesas			
Resultado Fluxo Financeiro			

No final desSe segundo mês, após concluir todas as apurações, lance na **Figura 5** o total das despesas que aferiu em cada categoria.

Figura 5 – Despesas por categoria

Descrição / Categoria	Valor total em R$ projetado	Valor total em R$ realizado	Diferença Projetado × Realizado
Moradia			
Alimentação			
Reservas			
Saúde			
Dívidas			
Cartão de crédito			
Transporte			
Autodesenvolvimento			
Vestuário			
Presentes e doações			
Entretenimento e viagens			
Telefonia e internet			
Outros custos			
Total			

ETAPA II

Analise suas informações financeiras. Na prática, você esperava que essa fosse a sua realidade?

Qual é a categoria em que esperava ter o maior custo total?

E qual categoria de fato tem a maior proporção de despesas em seu orçamento?

Essa análise é fundamental para a tomada de decisão em todos os âmbitos.

Finalmente, agora que conhece suas despesas, é o momento de otimizá-las. Vamos para o próximo passo do planejamento financeiro.

B - Otimização do fluxo financeiro

Uma vez que realizou o fluxo financeiro de determinado mês, você terá a situação concreta de todas as despesas e receitas, considerando a visão projetada e realizada. A visão projetada compreende os gastos previstos e que você mapeou. A realizada é o que de fato aconteceu.

Essa análise é importante para você ter consciência de seu consumo e planejamento de forma geral. E, principalmente, do que precisa "colocar nos trilhos".

Agora, vamos para uma nova etapa igualmente importante, que visa à tratativa e à redução de suas despesas.

A otimização tem o propósito de reduzir os custos. Para isso, você deve classificar de forma individual todas as despesas em:

1. Desperdício: cuja ação recomendada é eliminar por completo. Dessa forma você terá esse recurso disponível.

2. Supérfluas: a orientação é que você analise se esse custo é realmente necessário, assim como a tempestividade. Em seguida, poderá eliminar ou reduzir, de acordo com a decisão tomada.

3. Necessárias: são despesas essenciais para a sobrevivência e o dia a dia. Nesse caso, a recomendação é que analise a possibilidade de otimização.

Por exemplo, no caso do serviço de internet, é possível pesquisar empresas e avaliar os serviços oferecidos e os custos, e decidir por uma proposta com o melhor custo-benefício. Recomenda-se a mesma ação para as demais despesas classificadas como necessárias.

Após a classificação de cada despesa, você definirá quais medidas vai adotar visando à otimização dos custos, conforme exemplo anterior. Essa ação precisa ter um prazo para realização.

Como exemplo, considerando algumas categorias, citam-se:

Moradia: neste item você considerou a parcela de seu financiamento ou o custo de seu aluguel, além dos custos fixos desse imóvel, tais como água, energia elétrica, gás etc.

Nesse sentido, se você tiver um financiamento, já terá levantado as taxas de juros, pois fizemos isso em etapas anteriores. A orientação que dou é buscar outras instituições financeiras que ofereçam uma taxa de juros menor. Você pode "transferir" essa dívida de um banco para outro por meio da portabilidade de crédito imobiliário. Há uma série de benefícios envolvidos nessa operação.

Quer saber mais sobre portabilidade de crédito imobiliário, seus benefícios e como fazer?

Leia as páginas 168 a 174 do Capítulo 9, "Você precisa saber!"

Adicionalmente, nessa categoria estão presentes os custos com energia elétrica. É importante refletir com base nas seguintes questões: as lâmpadas que tem em sua casa são econômicas? Você deixa a luz acessa ou apaga ao sair de um ambiente? Você deixa os equipamentos eletrônicos conectados à tomada quando não os utiliza? Nesse caso, além de custos, é apropriado fazer uma reflexão séria sobre o meio ambiente. O quanto você contribui de forma prática? Pequenas ações fazem diferença!

Veja algumas dicas para economizar energia e reduzir a conta de luz!

Leia as páginas 174 a 178 do Capítulo 9, "Você precisa saber!"

Adicionalmente, é essencial compreender o que são e como as bandeiras tarifárias impactam no custo de sua conta de luz.

Leia as páginas 178 a 181 do Capítulo 9, "Você precisa saber!"

Podemos associar o mesmo procedimento para a conta de água. Você faz um consumo consciente? Utiliza de fato a água para necessidades reais?

Vamos ver como você pode economizar água na prática?

Leia as páginas 182 a 186 do Capítulo 9, "Você precisa saber!"

Falando ainda sobre os custos com moradia, o que você pode fazer para economizar gás? Você já pensou sobre isso?

Saiba mais lendo as páginas 186 a 189 do Capítulo 9, "Você precisa saber!"

Até aqui foram destacados alguns exemplos. Podem ter outros custos que envolvam a sua moradia. Então, utilize o mesmo racional para otimizá-los.

Se você reside em um condomínio e esses gastos são rateados entre os moradores, contribua para a sociedade. Compartilhe as orientações de economia com todos. Isso é válido com sua vizinhança. Contribua com o meio ambiente também!

Alimentação: nesta categoria você elenca todos os gastos com mercado, padaria e os que envolvam a alimentação de forma geral.

Para otimização desta categoria é preciso realizar as compras de forma planejada. Você utiliza qual metodologia para fazer as compras? Faz compras uma vez por mês ou repõe conforme a necessidade? Compra ao longo do mês de acordo com o consumo? Compra quando tem vontade e pronto?

É fundamental fazer uma lista antes de ir ao mercado e se ater a ela. É importante mencionar que ir ao mercado quando estiver com fome fará com que compre mais do que de fato precisa. Você sabia disso?

Quando for ao mercado, defina de antemão o valor que vai utilizar e evite ultrapassá-lo, ou comprometerá seu orçamento.

Leia as páginas 189 a 192 do Capítulo 9, "Você precisa saber!",
e saiba como economizar nas compras do mercado!

Reservas: inclua os custos com reservas previstas. Trataremos esse tema com mais profundidade na Etapa III. De todo modo, você considerará sua capacidade de poupança (receitas menos despesas) para definição macro desse valor.

Saúde: considere gastos com planos de saúde, remédios, prevenções, entre outros, e faça uma reflexão: como cuida de você? Adota uma alimentação saudável? Ações simples como as citadas podem melhorar ainda mais sua saúde e, consequentemente, reduzir suas despesas neste item.

Em relação à compra de medicamentos, pesquise antes de comprar. Faça parte do "programa de pontos/benefícios" da farmácia/drogaria de sua preferência. Certamente eles terão promoções e descontos que o ajudarão a economizar.

Assim como no mercado, é fundamental ir à farmácia com uma lista definida do que vai comprar. Isso também se aplica aos cosméticos em geral.

Cartão de crédito: o cartão de crédito é uma "ferramenta". Por isso, é você quem deverá usá-lo, e não o contrário! Faça uso consciente e compre de forma planejada.

Sempre faça o pagamento total da fatura, afinal, você planejou, certo?

Conheça as tarifas, formas de pagamentos, taxas de juros de mercado e outras informações essenciais para a utilização do cartão de crédito.

Leia as páginas 192 a 203 do Capítulo 9, "Você precisa saber!"

Telefonia e internet: pesquise e busque o melhor plano para o seu momento. Pergunto: você sabe o que está incluso no seu plano de telefonia? De fato, ele atende a sua necessidade? É importante ligar para a sua operadora e tomar conhecimento dessas informações e, se for o caso, alterar o seu plano.

O mesmo é válido para sua operadora de internet. Qual plano tem hoje e qual o custo? Os concorrentes dessa empresa estão

oferecendo o mesmo plano ou algo semelhante em quais condições? Será que faz mais sentido para você? Refita sobre essas questões importantes, conheça seus planos atuais, pesquise e mapeie as melhores ofertas. Adicionalmente, é importante saber se nessas ofertas há prazo determinado e se depois disso o preço será alterado, se há taxa de cancelamento, entre outros aspectos.

Com as orientações que recebeu até aqui, é possível desenvolver o plano de otimização de suas despesas.

Para apoio nesta etapa, apresenta-se a **Tabela 5 – Classificação das despesas e definição dos planos de ação**, disponível no Anexo E.

No anexo você terá as orientações necessárias para realizar esse processo.

Vamos lá?

Instruções para preenchimento:

1. Na primeira coluna, "Identificação da categoria", e na segunda coluna, "Identificação da despesa", liste todas as suas despesas de acordo com a categoria de seu fluxo financeiro.
2. Em seguida, na coluna "Valor em R$", inclua seu custo atual com essa despesa.
3. Agora, um momento muito importante e crucial em sua vida financeira, na coluna "Classificação das despesas", identifique todas as suas despesas, uma por vez, em desperdício, supérfluo ou necessário.
4. Em seguida, na coluna "Definição do plano de ação a ser realizado", defina o que vai fazer. Por exemplo, o que você classificou como "desperdício" deve ser eliminado. O que classificou como supérfluo e necessário você pode reduzir o curso ou buscar outros fornecedores. Considere as orientações e exemplos que estão no livro!
5. Tão importante quanto definir o plano de ação é estipular em qual data vai realizá-lo, considerando o seu prazo-limite. Assim sendo, na coluna "Definição da data/prazo para realizar o plano de ação", você deve, de forma sincera, inserir a data na qual pretende fazer a ação.
6. Após concluir o plano de ação, terá um novo valor para essa despesa. Esse custo deve ser incluído na coluna "Novo valor em R$ após realização do plano de ação".

7. Por fim, some o valor total inicial e o valor total final após a realização do plano de ação.

Reforço que tão importante quanto determinar a ação a ser tomada é definir um prazo para cumpri-la, tal como uma revisão periódica. É certo que não basta escrever, é preciso agir!

Tabela 5 – Classificação das despesas e definição dos planos de ação

Classificação das despesas e definição de Plano de Ação						
Identificação da categoria	**Identificação da despesa**	**Valor em R$**	**Classificação das despesas em: desperdício ou supérfluo ou necessário**	**Definição do plano de ação a ser realizado**	**Definição da data/ prazo para realizar o plano de ação**	**Novo valor em R$ após realização do plano de ação**
Total						

Após a realização dessa etapa, você otimizou os custos e tende a ter uma sobra de recursos que poderá ser utilizada para conquistar seus objetivos e metas.

Foi bom, não foi?

Com base nessa ação, o quanto conseguiu economizar por categoria? Sim, por categoria, pois o objetivo é que você faça a revisão/otimização de todas as suas despesas.

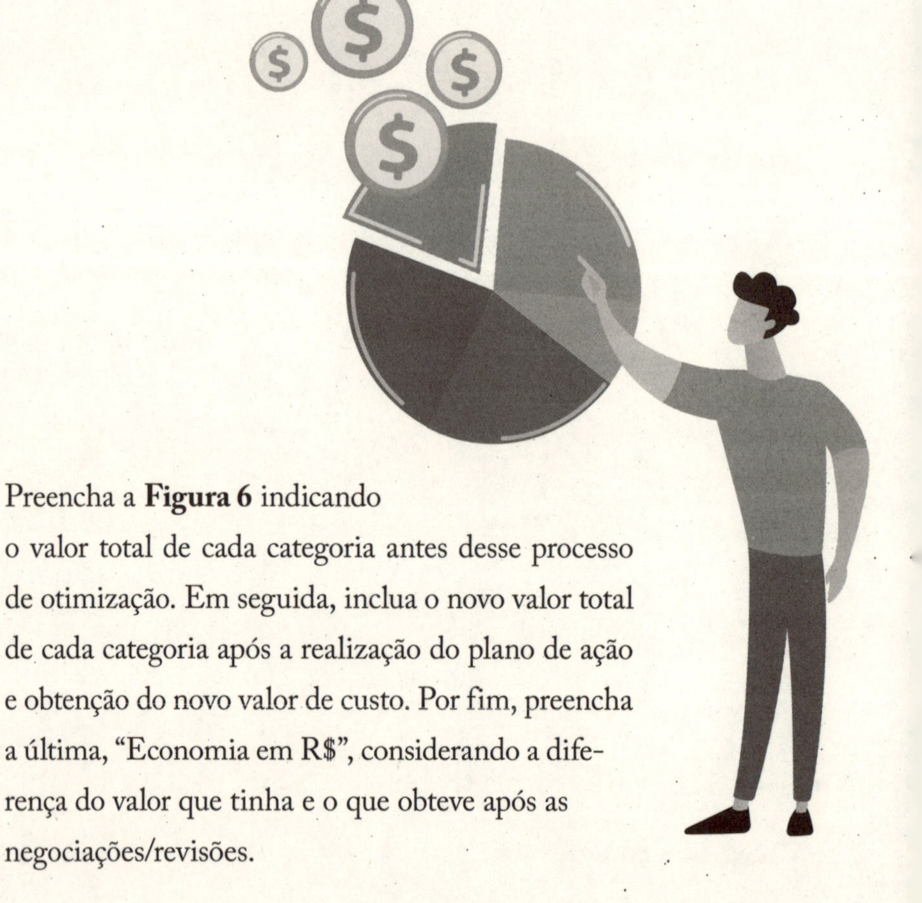

Preencha a **Figura 6** indicando o valor total de cada categoria antes desse processo de otimização. Em seguida, inclua o novo valor total de cada categoria após a realização do plano de ação e obtenção do novo valor de custo. Por fim, preencha a última, "Economia em R$", considerando a diferença do valor que tinha e o que obteve após as negociações/revisões.

Figura 6 – Despesas por categoria: realizado x projetado

Descrição da categoria	Valor total em R$ **antes da otimização**	Valor total em R$ **após a otimização**	**Economia** em R$
Moradia			
Alimentação			
Reservas			
Saúde			
Dívidas			
Cartão de crédito			
Transporte			
Autodesenvolvimento			
Vestuário			
Presentes e doações			
Entretenimento e viagens			
Telefonia e internet			
Outros custos			
Total			

Esta etapa exige esforço e é fundamental para a sua saúde financeira. E é essencial realizá-la periodicamente. Programe-se para fazê-la de forma semestral. Não espere apenas "se lembrar". Coloque-a em sua agenda!

Vamos seguir.

C – Compreender as necessidades de crédito

Uma vez elencadas as receitas e despesas no fluxo financeiro, você poderá identificar se o fluxo está equilibrado, superavitário ou deficitário.

O fluxo de caixa deficitário corresponde às pessoas que gastam mais do que ganham, ou seja, quando a despesa é maior do que a receita. Já o fluxo de caixa superavitário corresponde aos indivíduos que têm capacidade de poupança, ou seja, quando as receitas são maiores que as despesas. Quando equitativo, os valores das despesas são iguais às receitas e tem-se um grande risco de qualquer eventualidade desequilibrar o orçamento.

Se o orçamento estiver deficitário, é preciso e importante entender o motivo. Caso a origem desse resultado sejam dívidas, é importante renegociar diretamente com as empresas credoras. Adicionalmente, faz sentido buscar alternativas de crédito para sanar a questão se ela for pontual. É fundamental atentar-se para uma taxa de juros e prazos realistas, e não apenas ao valor da parcela. Pesquise. Fale com pelo menos três empresas e use o seu poder de persuasão e negociação!

Cada caso é um caso, então, nada de sair buscando empréstimo se o seu caso for pontual e você tiver a previsibilidade de sanar a situação nos meses seguintes.

Nesse sentido, é preciso saber o seu *score*, e entender esse conceito é importante. O *score* é um número que indica a sua saúde e reputação financeira. É com base no *score* que o seu limite de crédito e concessão são definidos/aprovados pelas instituições financeiras.

O *score* não é estático, ou seja, ele pode mudar de acordo com o seu comportamento de consumo e pontualidade no pagamento das dívidas, sempre considerando o histórico financeiro.

Descubra o seu **score** e saiba como aumentar a sua pontuação!

Leia as páginas 203 a 209 do Capítulo 9, "Você precisa saber!"

Agora que domina o *score* e como aumentar a sua pontuação, você sabe quais são as taxas de juros praticadas no mercado pelas instituições financeiras nas várias modalidades de crédito disponíveis?

Acesse o site do Banco Central do Brasil no link a seguir:

https://www.bcb.gov.br/estatisticas/txjuros

ou acesse a rota:

> Site Banco
> Central do Brasil
> Estatísticas
> Taxa de juros.

ETAPA II

ETAPA II

Parabéns!
Você finalizou
mais uma etapa!

Pode resgatar o seu prêmio, que é a sua 2ª estrela!

Leia o *QR CODE* e resgate a sua estrela!

Agora vamos para a Etapa III. Avante!

ETAPA II

ETAPA

8.3 Etapa III – Reservas financeiras, proteções, definição de sonhos e projetos

A - Construção da reserva de emergência

Para estar prevenido quando o assunto é "imprevistos", é essencial que você tenha uma reserva de emergência. Essa reserva é fundamental para que o planejamento financeiro seja eficaz, pois, se você tiver uma emergência, poderá recorrer a esse recurso sem a necessidade de desviar fundos de outras linhas do planejamento financeiro.

Essa deve ser a primeira reserva que você precisa constituir para a perenidade do seu planejamento. Em seu orçamento, ela deve ser considerada como uma despesa até você atingir o valor necessário.

A literatura existente recomenda o valor de três a doze vezes as suas despesas mensais.

Essa reserva também é importante para que você não precise recorrer a empréstimos, amigos ou outros meios quando tiver uma necessidade pontual que não estava prevista.

Para calcular a reserva, primeiro considere o valor total de suas despesas mensais.

Identifique o valor total de suas despesas mensais: **R$**

Para definir o valor da reserva de emergência, a princípio, consideraremos a exigência mínima: três vezes o valor de suas despesas mensais.

Calcule o valor de sua reserva de emergência (três vezes o valor de suas despesas).

Identifique o valor de sua reserva de emergência: **R$**

Esse valor deve ser o primeiro a ser acumulado antes de outros objetivos e reservas.

Se você já tem esse valor disponível, reserve-o. Caso não tenha, é importante, de acordo com a sua capacidade de poupança, poupar mensalmente até completá-lo. Se esse for o seu caso, você precisa definir o valor que vai poupar por mês e por quanto tempo, até atingir o montante dessa reserva.

Valor que vai poupar por mês: **R$**

Quantidade de meses:

Uma vez que definiu o valor dessa reserva e o quanto poupará por mês, esse custo deverá ser considerado como uma despesa. Sendo assim, inclua no seu fluxo financeiro na macrocategoria chamada Reservas o item Reserva de Emergência, juntamente com o valor mensal.

B – Construção da reserva de aposentadoria

Quanto antes começar a juntá-la, melhor!

Você pode dizer que viverá apenas com a renda concedida para aposentadoria fornecida pelo governo. Daí devo perguntar a você se isso será suficiente para suprir as suas necessidades e despesas no momento de sua aposentadoria, quando não puder/quiser mais trabalhar.

Esse tema envolve uma série de fatores, por isso, vamos tratá-lo de forma objetiva com aplicabilidade prática.

Primeiramente, defina a idade em que deseja se aposentar. Considere uma idade factível, afinal, estamos desenvolvendo o seu planejamento financeiro.

Em seguida, com base no seu planejamento financeiro, estipule a renda que almeja ter na aposentadoria. Considere que muitas das despesas que tem hoje você não terá mais na aposentadoria, ou não terá na mesma proporção de custos, como gastos com transporte, vestuário e outros, por exemplo. Adicionalmente, alguns gastos tendem a aumentar, como medicamentos e lazer.

Considere que o importante é ter uma referência.

Vamos supor, e *apenas supor*, para fins de cálculo, que você almeja ter a renda de R$ 3.000,00 durante a aposentadoria. Vamos fazer alguns cálculos para que você tenha referência e *faça o seu cálculo com base em seu valor almejado* para a aposentadoria.

Exemplo 1:

Valor de renda almejada na aposentadoria: R$ 3.000,00

Idade atual: 35 anos

Idade almejada para a aposentadoria: 60 anos

Por quanto tempo deseja receber essa renda após se aposentar: 30 anos

Nesse exemplo, o indivíduo tem 35 anos e deseja se aposentar aos 60 anos. Logo, ele tem 25 anos (60 - 35 = 25) para acumular o valor necessário para a aposentadoria. E qual é esse valor?

Como o indivíduo pretende receber essa renda durante trinta anos, considere o cálculo de trinta anos *vezes* doze meses, que é igual a 360 meses.

360 meses × R$ 3.000,00 (renda desejada) = R$ 1.080.000,00

Não se assuste com esse montante, afinal, o indivíduo tem 25 anos para acumular esse valor!

E será apenas esse valor? Não!

É esse valor *mais* a inflação acumulada do período, para que possa manter o poder de compra. Afinal de contas, R$ 3.000,00 hoje não terão o mesmo potencial de aquisição daqui a 25 anos, se considerarmos os efeitos da inflação no período. Lembra-se do que falamos sobre a inflação e do impacto sobre o planejamento financeiro!?

Por fim, vamos calcular o que o indivíduo precisa guardar por mês para acumular esse valor, considerando o Exemplo 1. Como o indivíduo terá 25 anos para acumular esse montante (35 anos de idade atual e 60 anos de idade com que almeja se aposentar), isso corresponderá a 300 meses; então, o cálculo será 25 anos × 12 meses = 300 meses.

O valor de R$ 1.080.000,00 dividido por 300 meses é igual a R$ 3.600,00 por mês (mais a inflação do período).

Entendeu a expressão "o quanto antes melhor"?

Quanto mais cedo você começar a acumular sua reserva de aposentadoria, menos esforço financeiro será necessário ao longo do tempo; quanto mais tarde começar a acumular a sua reserva, um valor maior será necessário aportar por mês.

Faremos o mesmo cálculo, agora considerando um indivíduo que começasse essa reserva aos 25 anos.

Exemplo 2:

O indivíduo inicia a reserva de aposentadoria aos 25 anos considerando 60 anos como sendo a idade almejada para aposentar-se. Então, 60 menos 25 anos é igual a 35 anos. Esse é o período pelo qual o indivíduo terá que poupar.

35 anos × 12 meses = 420 meses

O valor de R$ 1.080.000,00 dividido por 420 meses é igual a R$ 2.571,43 por mês (*mais* a inflação do período).

Lembrando que estamos considerando nos dois exemplos R$ 3.000,00 como renda para a aposentadoria nessa reserva. Consideramos que esse valor será somado à renda que acreditamos que ele receberá do governo.

Diante disso, a recomendação para o valor acumulado é investir. Para isso, você precisará conhecer o seu perfil de investidor e buscar um especialista em investimentos de sua confiança para que ele faça uma recomendação.

Existem vários tipos e classes de investimento que podem potencializar o seu retorno. Quanto antes começar, melhor. Talvez possa investir um valor menor e contar com o rendimento a seu favor, mas fique atento aos riscos!

Citarei mais um exemplo apenas para fins didáticos. Para isso, consideraremos os dados expostos no Exemplo 2.

Vamos recapitular?

Valor de renda almejada na aposentadoria: R$ 3.000,00

Idade atual: 25 anos

Idade almejada para a aposentadoria: 60 anos

Por quanto tempo deseja receber essa renda após se aposentar: 30 anos

Valor que precisa acumular: R$ 1.080.000,00 (***mais*** a inflação)

Período de contribuição (60 - 25) = 35 anos

ETAPA III

Exclusivamente para fins didáticos, vamos considerar um investimento com rendimento bruto anual na ordem de 0,5% ao mês, que equivale a 6,17% ao ano. Complementarmente, *suporemos* que nessa taxa a inflação já está inclusa. O objetivo desse exemplo é demonstrar a premissa inicial "quanto antes começar, melhor".

Considerando esse exemplo e o investimento trabalhando a seu favor (quando não se fazem retiradas mensais e o rendimento é somado ao capital investido), a sua reserva mensal para acumular os R$ 1.080.000,00 em 35 anos será de R$ 758,05 por mês!

Neste momento, você poderá perguntar:
"Simone, onde encontro esse investimento?".

Calma! O objetivo do livro é realizar o seu planejamento financeiro. Para investir, obviamente você precisará ter recursos, e, para isso, será preciso ter a capacidade de poupar. Sim, existem outros fatores, como você ter recebido uma herança ou outros meios.

Apoiarei você no início de sua jornada rumo aos investimentos. O primeiro passo será conhecer o seu perfil de investidor por meio do *Suitability*. Essa ferramenta é um questionário que mapeia os objetivos, familiaridade e tolerância ao risco, que são aspectos fundamentais para o planejamento financeiro e alocação adequada de seus investimentos.

Uma vez que conheça o seu perfil de investidor, a recomendação é investir respeitando a sua tolerância ao risco. Outro aspecto fundamental é diversificar. Existe uma premissa conhecida no mercado financeiro que diz para "nunca colocar todos os ovos numa cesta". Isso quer dizer que não é recomendado que você aporte todos os seus recursos em um único investimento.

Você pode conhecer o seu perfil
de investidor neste livro!

BÔNUS!

Para simular os valores para a sua renda na aposentadoria, você poderá acessar o ***Simulador da Reserva de Aposentadoria*** no site *Sim Planejar*.

Bem, dado o que foi exposto até aqui, você precisará definir o valor mensal de sua reserva de aposentadoria com base, primordialmente, em sua idade atual, idade que deseja se aposentar, valor que almeja de renda e taxa de retorno do seu investimento. Utilize o *Simulador* para obter os resultados.

> Agora, identifique o valor de sua Reserva de Aposentadoria, considerando o aporte mensal: **R$**

Uma vez que definiu o valor dessa reserva e o quanto poupará por mês, esse custo deve ser considerado como uma despesa. Sendo assim, inclua no seu fluxo financeiro, na macrocategoria chamada Reservas, o item Reserva de Aposentadoria, juntamente com o valor mensal.

C – Reserva para seus sonhos e projetos

Seus sonhos e projetos são
possíveis, basta se planejar!

Na prática, para alcançar os seus sonhos e projetos, primeiramente é preciso que você os defina. Isso mesmo, faça uma lista. Entre os objetivos podem estar a aquisição de um imóvel ou veículo, a reforma do imóvel atual, a constituição de um negócio próprio, a aposentadoria privada, uma viagem, o intercâmbio dos filhos, entre tantos outros sonhos ou projetos.

Invista tempo nesse momento tão importante.

Após a definição de quais são os sonhos, é preciso ordená-los por prioridade. Quais você almeja realizar primeiro? Existem sonhos cujos prazos são concomitantes?

Depois de definir e ordenar seus objetivos por prioridade, será preciso estipular o prazo em que pretende alcançá-los, assim como o valor/custo desse sonho.

Assim, você poderá construir as reservas para guardar mensalmente os valores necessários.

Por exemplo, suponha que o sonho seja adquirir um veículo, essa é a especificação; dependendo da sua necessidade, esse objetivo poderá ser o primeiro numa ordem de prioridade. No que se refere ao prazo, você poderá definir que deseja o carro em dois anos, ou seja, 24 meses. Para isso, precisará de R$ 35.000,00 e terá que poupar R$ 1.458,33 por mês durante os próximos 24 meses.

Tendo essa primeira fase de definições concluída, passaremos para a implementação de fato.

É possível poupar esse valor mensalmente, considerando o seu planejamento financeiro atual?

Caso não seja possível, é importante a reflexão sobre dois aspectos:

1. A necessidade do carro (que foi o nosso exemplo) em 24 meses.
2. Considerar um empréstimo/financiamento.

Essas definições são relevantes para a análise da viabilidade, considerando a condição financeira e a capacidade de poupança. Pode-se ter todas as diretrizes definidas, mas, em função do orçamento atual, talvez não seja possível realizá-las no momento almejado.

Por isso, o planejamento financeiro é importante. Ele norteará as decisões de consumo e as especificações das metas, como alongar o prazo de um objetivo previsto inicialmente, eliminar uma despesa para poupar mais, entre outros aspectos.

Para apoiar essas decisões importantes, acesse o *Simulador Sonhos e Projetos* no site *Sim Planejar*!

Uma vez definidas as diretrizes, ou seja, escrevendo quais são seus sonhos e projetos, ordem de prioridade e valores, você poderá calcular o montante mensal necessário para constituir a reserva necessária para realizar cada sonho e projeto e, assim, com disciplina, alcançar seus objetivos.

Para apoio nesta etapa, preencha a **Tabela 6 – Planejamento dos projetos e sonhos**, disponível no Anexo F.

Anexo F

Instruções para preenchimento:

1. Na coluna "Descreva seu sonho/projeto", identifique um a um os seus objetivos. Exemplos: casa, carro, viagem, entre outros destacados neste livro.
2. Após descrever todos os seus sonhos e projetos, defina a ordem de prioridade, ou seja, qual almeja alcançar primeiro, e na sequência, e o seguinte, e assim por diante. Para isso, utilize a coluna "Ordem de prioridade". Identifique como 1º, 2º e assim sucessivamente.
3. Em seguida, determine o prazo em meses em que deseja alcançar cada sonho e projeto. Por exemplo, cinco anos é igual a sessenta meses (5 × 12). Para isso, utilize a coluna "Prazo (em meses)".
4. Na sequência, insira na coluna "Valor estimado (em reais)" o custo total de seu sonho/projeto. Caso não tenha o

valor exato, utilize uma estimativa e, posteriormente, ajuste se for necessário.

5. Após inserir todos os valores, some-os e insira o valor final na linha "Total".

6. Agora que tem o valor de seus projetos e sonhos, assim como o prazo em meses em que deseja alcançar, preencha a coluna "Valor da reserva mensal necessária (em reais)". Para isso você vai dividir o valor do sonho/projeto pela quantidade de meses. Exemplo utilizado no livro: compra de carro no valor de R$ 35.000,00 em 24 meses; 35.000 dividido por 24 é igual a R$ 1.458,33. Utilize uma calculadora para apoiá-lo nos cálculos!

Tabela 6 – Planejamento dos projetos e sonhos

Planejamento dos projetos e sonhos				
Descreva seu sonho/projeto	Ordem de prioridade	Prazo (em meses)	Valor estimado (em reais)	Valor da reserva mensal necessária (em reais)
		Total		

Pronto, você *finalizou esta etapa*!
Agora, retome a leitura do livro.

No anexo você terá as orientações necessárias para o planejamento.

A análise dessa tabela também proporcionará uma reflexão sobre o consumo consciente, pois ela demostra em detalhes o esforço financeiro necessário para realizar o sonho/projeto definido, assim como o prazo. Evidencia-se, portanto, a importância da disciplina. Qualquer desvio no percurso poderá prorrogar o alcance do objetivo ou inviabilizá-lo.

Para a realização do sonho, há a possibilidade da busca de crédito no mercado. Em todo caso, a análise de viabilidade precisa ser feita considerando os custos embutidos nessa concessão, assim como o valor de comprometimento mensal.

Tendo em vista que você definiu o valor da reserva para cada sonho/projeto e o quanto poupará por mês, esse custo deverá ser considerado uma despesa. Sendo assim, inclua no seu fluxo financeiro, na macrocategoria chamada reservas. Cada sonho/projeto ocupará uma linha, dado que terá custo mensal específico. Exemplos: Viagem: R$ 300,00; Intercâmbio: R$ 500,00; e assim sucessivamente.

Veja que, a cada inclusão no fluxo financeiro, suas despesas totais aumentam. Por isso, foi fundamental a otimização que fizemos. Desse modo, acredito que você criou espaço para comportar esses custos ou ao menos para parte deles.

D – Proteger o patrimônio

Proteger o patrimônio é uma etapa essencial do planejamento financeiro, pois isso garante a proteção dos bens por meio de seguro, por exemplo.

Adicionalmente, essa ação viabiliza a eficiência do planejamento, uma vez que, se houver imprevistos, os bens terão cobertura específica, evitando, assim, o desvio de recursos previstos em outras reservas.

Cito aqui algumas coberturas como ilustração, tais como vida, automóvel, imóvel, saúde, funeral.

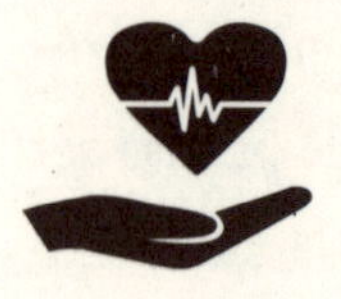

O **seguro de vida**, por exemplo, é importante e imprescindível para o indivíduo, principalmente para o que é a principal fonte de renda de uma família, uma vez que, na falta dele, os familiares contarão com a segurança necessária até a readequação do orçamento familiar, por meio do recebimento do seguro. Você já pensou sobre isso?

O **seguro-automóvel**, outro exemplo, é relevante, pois oferece cobertura desde as mais básicas, como batidas e problemas mecânicos, até as mais graves, como acidentes envolvendo vítimas. Dessa forma, você estará coberto no caso de imprevistos. Mesmo com o seguro, citam-se como imprescindíveis a revisão periódica e a manutenção do veículo conforme orientações do fabricante. Reflita, o que aconteceria hoje se tivesse um acidente envolvendo o seu carro?

O **seguro de imóvel**, por sua vez, garante coberturas simples e de eventos naturais, como enchentes, queda de raios, roubo e furto, entre outros. Imagine se uma queda de energia ocorresse e todos os seus equipamentos elétricos queimassem? Ou se alguém invadisse o seu imóvel e roubasse os seus bens?

O **seguro-saúde**, por sua vez, também conhecido como "plano de saúde", garante coberturas como custos de internações e cirurgias, pronto-socorro, entre outras. Reflita: quanto custa uma consulta médica particular hoje? E uma cirurgia? Está disposto a esperar na "fila" para realizar procedimentos cirúrgicos?

Outro exemplo que proponho é o **auxílio-funeral**, geralmente incluso como cobertura adicional em alguns seguros. Ele auxilia num momento delicado e em que as pessoas estão fragilizadas. Geralmente, esse tipo de seguro oferece cobertura para traslado do corpo do falecido, caixão, velório, enterro e jazigo.

Quer saber mais sobre o custo do jazigo e o impacto em seu planejamento financeiro?

Leia as páginas 210 a 214 do Capítulo 9, "Você precisa saber!"

Após a leitura, está disposto a deixar esse custo para que a sua família arque com ele?

É importante mencionar que existem empresas que oferecem planos para que o indivíduo adquira o jazigo ainda em vida.

Com base no exposto, faça uma reflexão sobre a importância dessas coberturas para você. Afinal, é o seu maior patrimônio!

Recomendo que, para a otimização dos custos, você realize pesquisas no mercado a fim de encontrar a melhor relação custo-benefício de todas as coberturas necessárias. Para isso, é importante que defina quais serão as coberturas mínimas necessárias, tendo em vista que isso influenciará no custo mensal do seguro. Tais coberturas envolverão custos mensais e deverão ser contempladas no planejamento financeiro. É importante ter ciência e tomar nota das coberturas para utilizá-las quando necessário.

Se você já tiver essas proteções, excelente!

Pergunto:

Você conhece todas as coberturas?
Qual a vigência de seu plano?
O pagamento está em dia?
O plano que você tem contempla todas as coberturas de que precisa?

Fale com o seu corretor. Peça todos os detalhes necessários e tome nota deles.

Reitero que citei apenas alguns exemplos. No mercado existe uma série de coberturas para proteger o patrimônio.

Tendo chegado até aqui, este é o momento de você definir com quais vai seguir.

Para apoio nesta etapa, preencha a **Tabela 7 – Proteções patrimoniais**, disponível no Anexo G.

Instruções para preenchimento:

1. Na coluna "Nome da proteção/tipo", descreva o nome da proteção. Exemplos: seguro de vida, seguro-saúde, seguro-automóvel, seguro-funeral etc.
2. A coluna seguinte, "Descrição das coberturas", é destinada para você identificar as principais coberturas de sua proteção. É fundamental para saber se atendem a sua necessidade. E, com o tempo, isso pode mudar, portanto é fundamental ter em vista quando e se alterações serão necessárias.
3. Você deve preencher o valor do custo mensal do prêmio na coluna "Valor do prêmio mensal em reais". É fundamental você ter ciência do valor pois há correções anuais.
4. De igual modo, na coluna "Total anual do prêmio (em reais)", você deve lançar o valor total de sua cobertura no ano vigente. Importante para ter ciência de seu custo total anual.
5. Tão importante quanto ter a cobertura é acompanhar a data de vencimento/renovação. Descreva as datas nessa planilha para seu acompanhamento na coluna "Data de vencimento/renovação".

Tabela 7 – Proteções patrimoniais

Proteções patrimoniais				
Nome da proteção/tipo	Descrição das coberturas	Valor do prêmio mensal (em reais)	Total anual do prêmio (em reais)	Data de vencimento/ renovação
		Total		

ETAPA III

Pronto, *você finalizou esta etapa*!

Agora, retome a leitura do livro.

No anexo você terá as orientações necessárias para o planejamento.

E – Sucessão

Tão importante quanto realizar o planejamento financeiro pessoal em vida, é fundamental se preparar para o momento da partida. Quem vai assumir as suas dívidas? O quão fundamental é a sua renda para a sua família hoje?

É vital refletir sobre o assunto e se preparar para esse momento.

Uma das ferramentas para isso é o seguro de vida, que fornece uma indenização quase imediata que pode ser utilizada para comportar os custos desse período.

Refletir sobre esse assunto é essencial a fim de compreender qual é o valor adequado de indenização do seguro de vida. Considere as suas despesas e/ou as despesas que a sua família teria por pelo menos doze meses. Esse deverá ser o valor mínimo. Essa será a sua premissa de partida.

Adicionalmente, lembre-se de que existe o inventário, e ele terá um custo. Por mais que você tenha muitos recursos, eles podem ser bloqueados até a finalização do processo de inventário.

O inventário consiste na transmissão sucessória formalizada dos bens.

Para fazê-lo, procede-se a um levantamento e avaliação de todos os bens, seus direitos e as dívidas do falecido. Isso mesmo, quando falecer, alguém precisará pagar as suas dívidas! O processo de inventário transfere a herança para os herdeiros legais e instituídos por meio de testamento.

Você sabe quanto custa um processo de inventário e o impacto no planejamento financeiro? Leia as páginas 215 a 220 do Capítulo 9, "Você precisa saber!"

Como mencionei, existem várias outras ferramentas para cobertura em caso de morte; o seguro de vida é apenas um exemplo de como se pode planejar os custos da sucessão.

Complementarmente, recomendo que faça um testamento com o apoio de um advogado especialista no tema. Essa ferramenta apoiará e agilizará no processo de sucessão.

Defina em vida como será a sua partilha de bens. Conheça os tipos de testamento, a importância e os custos!

Leia as páginas 221 a 226 do Capítulo 9, "Você precisa saber!"

Parabéns!
Você finalizou mais uma importante etapa!

Agora já pode *resgatar* *o seu prêmio*!

Essa é a sua 3ª estrela!

Leia o *QR CODE* e resgate-a!

Agora vamos para a Etapa IV. Avante!

ETAPA

IV

8.4 Etapa IV – Praticar e monitorar o progresso

Chegamos ao terceiro mês! Vamos implementar o seu planejamento financeiro na prática e monitorar o progresso. No início do mês, você lançará todas as suas receitas e despesas no fluxo financeiro, na coluna chamada *Projetado*.

Agora você já tem todas as informações para o lançamento, incluindo os custos das reservas, proteções, entre outros.

Vamos recapturar orientações importantes para a elaboração de seu fluxo financeiro:

- Insira as informações sobre todas as suas receitas.
- Insira as informações das despesas projetadas, ou seja, os valores que acredita que vai gastar. Inclua todos os custos, inclusive das reservas.
- Ao longo do mês, lance no fluxo financeiro os custos realizados, ou seja, aqueles que realmente se efetivaram, assim como a data de pagamento, ambos em suas respectivas colunas.
- Lembre-se de lançar as despesas nas categorias corretas, para que possa fazer uma análise de em qual categoria as suas despesas estão concentradas e tomar as medidas necessárias.
- Atualize seu fluxo financeiro ao longo do mês. Não deixe passar nada!
- Atente-se para lançar as despesas que não estavam previstas, mas que ocorreram. Nesse caso, lance diretamente na coluna chamada “Realizada”.

Para apoio nesta etapa, preencha a **Tabela 8 – Planejamento financeiro**, disponível no Anexo H.

A) Identificação das abas da planilha do Planejamento Financeiro.

1. A planilha tem catorze abas. São elas:

- A primeira aba contém as orientações necessárias para preenchimento das informações.
- A segunda aba até a décima terceira correspondem aos próximos doze meses de planejamento financeiro.
- A última aba, "Fechamento anual", compreende o consolidado do planejamento financeiro.

2. Agora vamos detalhar as informações!

B) Instruções para preenchimento da aba "Mês 1"

1. Na aba "Mês 1", na primeira segunda linha da tabela, insira o ano-calendário e o mês de referência. Exemplo: agosto/2021.
2. O primeiro quadro que você vê é o "Resumo Mensal". Ele deve ser preenchido apenas no final do mês, após apurar todas as receitas e despesas e o que foi projetado e realizado.
3. Em seguida, preencha as Receitas.
   a. Na coluna chamada "Descrição das receitas", descreva as receitas que prevê que receberá esse mês. Exemplos: salário, aluguel, aposentadoria, entre outras rendas.

b. Na coluna "Valor projetado", que está ao lado da coluna "Descrição das receitas", insira o valor em reais das receitas que receberá.
c. Ao longo do mês, preencha a coluna "Valor realizado", ainda em receitas. Nessa coluna, você deve inserir o valor que realmente recebeu como renda.
d. Conforme for preenchendo a coluna "Valor realizado", preencha a coluna "Data" no início da tabela. Assim, saberá o quanto efetivamente recebeu.

4. Agora, preencha as Despesas; o racional é semelhante.
   a. No início do mês, na parte das despesas, preencha as colunas "Descrição das despesas" e "Valor projetado" de acordo com as categorias definidas. É imprescindível que você preencha a coluna "Projetado" no início do mês.
   b. É fundamental preencher as despesas de acordo com as categorias. Assim, você identificará onde estão alocados seus maiores gastos.
   c. No decorrer do mês, você deve preencher as colunas "Valor realizado" e "Data" conforme as despesas forem ocorrendo. Assim, verá efetivamente se o que projetou ocorreu de fato e qual foi o valor real.

d. Ao longo do mês, você poderá preencher a coluna "Diferença entre projetado e realizado", ou seja, o que projetou e o que efetivamente aconteceu. Exemplo: suponha a despesa de energia elétrica no valor de R$ 80,00; esse custo é o "Valor projetado". No decorrer do mês, dia 6, ao receber a conta de luz, foi identificado que o "Valor realizado" foi de R$ 86,00, ou seja, maior que o projetado. Dessa forma, a "Diferença entre projetado e realizado" foi de -R$ 6,00.

5. Reforço importante: a coluna "Valor projetado" deve ser preenchida no início do mês, e a coluna "Valor realizado" deve ser preenchida ao longo do mês, conforme as receitas ou despesas forem ocorrendo. Complementarmente, é importante inserir a data em que efetivamente as receitas e despesas ocorreram.

6. No fim do mês, após apurar todas as receitas e despesas, é importante preencher a tabela **Resultado Consolidado**, que está ao final do fluxo financeiro. Você deve inserir os valores totais de suas receitas e despesas, sendo: projetado, realizado e diferença entre projetado e realizado. Em seguida, deve fazer uma conta de subtração, receitas menos despesas, em todas as colunas desse Resultado Consolidado.

C) Instruções para preenchimento da aba "Mês 2" até a aba "Mês "12"

1. Você deve repetir o mesmo processo que utilizou para preencher a aba "Mês 1".
2. Importante: você deve preencher todas as abas ("Mês 1" até "Mês 12") no primeiro mês de referência de seu panejamento. Desse modo, terá uma projeção de suas despesas em doze meses. É fundamental para acompanhamento do "Fechamento anual".

D) Instruções para preenchimento da aba "Fechamento anual

1. Após preencher as abas do "Mês 1" ao "Mês 12" com o valor projetado, insira o total projetado na coluna representativa de cada mês no "Fechamento anual".
2. Ao longo do final de cada mês e após ter o resultado total do valor realizado, insira-o na aba de fechamento anual.
3. No final dessa tabela há um "Total Anual", no qual você terá a visão dos últimos doze meses que preencheu: visão projetada e realizada. Essa visão é fundamental para análise de sua saúde financeira de acordo com as premissas expostas no livro.

Tabela 8 – Planejamento Financeiro.

CONSOLIDADO ANUAL						
	Mês 1		Mês 2		Mês 3	
CATEGORIA	Projetado	Realizado	Projetado	Realizado	Projetado	Realizado
TOTAL RECEITA MENSAL						
MORADIA						
ALIMENTAÇÃO						
RESERVA DE EMERGÊNCIA						
RESERVA DE APOSENTADORIA						
RESERVA DE SONHOS E PROJETOS						
PROTEÇÃO DO PATRIMÔNIO E SUCESSÃO						
DÍVIDAS						
CARTÃO DE CRÉDITO						
SAÚDE						
TRANSPORTE						
VESTUÁRIO						
PRESENTES E DOAÇÕES						
ENTRETENIMENTO E VIAGENS						
AUTODESENVOLVIMENTO						
OUTROS CUSTOS						
FLUXO DE CAIXA	**R$ 0,00**	**R$ 0,00**	**R$ 0,00**	**R$ 0,00**	**R$ 0,00**	**R$ 0,00**

Mês 4		Mês 5		Mês 6		Mês 7	
Projetado	Realizado	Projetado	Realizado	Projetado	Realizado	Projetado	Realizado
R$ 0,00	R$ 0,00	R$ 0,00	R$ 0,00	R$ 0,00	R$ 0,00	R$ 0,00	R$ 0,00

Mês 8		Mês 9		Mês 10		Mês 11	
Projetado	Realizado	Projetado	Realizado	Projetado	Realizado	Projetado	Realizado
R$ 0,00	R$ 0,00	R$ 0,00	R$ 0,00	R$ 0,00	R$ 0,00	R$ 0,00	R$ 0,00

Mês 12		Total Anual		
Projetado	Realizado	Projetado	Realizado	Diferença Projetado e Realizado
		R$ 0,00	R$ 0,00	R$ 0,00
		R$ 0,00	R$ 0,00	R$ 0,00
		R$ 0,00	R$ 0,00	R$ 0,00
		R$ 0,00	R$ 0,00	R$ 0,00
		R$ 0,00	R$ 0,00	R$ 0,00
		R$ 0,00	R$ 0,00	R$ 0,00
		R$ 0,00	R$ 0,00	R$ 0,00
		R$ 0,00	R$ 0,00	R$ 0,00
		R$ 0,00	R$ 0,00	R$ 0,00
		R$ 0,00	R$ 0,00	R$ 0,00
		R$ 0,00	R$ 0,00	R$ 0,00
		R$ 0,00	R$ 0,00	R$ 0,00
		R$ 0,00	R$ 0,00	R$ 0,00
		R$ 0,00	R$ 0,00	R$ 0,00
		R$ 0,00	R$ 0,00	R$ 0,00
		R$ 0,00	R$ 0,00	R$ 0,00
R$ 0,00	R$ 0,00	R$ 0,00	R$ 0,00	R$ 0,00

Planejamento financeiro pessoal

Mês:

	RESUMO MENSAL		
	PROJETADO	REALIZADO	DIFERENÇA PROJETADO E REALIZADO
TOTAL RECEITA MENSAL	**R$ 0,00**	**R$ 0,00**	**#VALOR!**
MORADIA	**R$ 0,00**	R$ 0,00	#VALOR!
ALIMENTAÇÃO	**R$ 0,00**	R$ 0,00	#VALOR!
RESERVA DE EMERGÊNCIA	**R$ 0,00**	R$ 0,00	#VALOR!
RESERVA DE APOSENTADORIA	**R$ 0,00**	R$ 0,00	#VALOR!
RESERVA DE SONHOS E PROJETOS	**R$ 0,00**	R$ 0,00	#VALOR!
PROTEÇÃO DO PATRIMÔNIO E SUCESSÃO	**R$ 0,00**	R$ 0,00	#VALOR!
DÍVIDAS	**R$ 0,00**	R$ 0,00	#VALOR!
CARTÃO DE CRÉDITO	**R$ 0,00**	R$ 0,00	#VALOR!
SAÚDE	**R$ 0,00**	R$ 0,00	#VALOR!
TRANSPORTE	**R$ 0,00**	R$ 0,00	#VALOR!
VESTUÁRIO	**R$ 0,00**	R$ 0,00	#VALOR!
PRESENTES E DOAÇÕES	**R$ 0,00**	R$ 0,00	#VALOR!
ENTRETENIMENTO E VIAGENS	**R$ 0,00**	R$ 0,00	#VALOR!
AUTODESENVOLVIMENTO	**R$ 0,00**	R$ 0,00	#VALOR!
OUTROS CUSTOS	**R$ 0,00**	R$ 0,00	#VALOR!
TOTAL DESPESA MENSAL	**R$ 0,00**	**R$ 0,00**	**#VALOR!**
FLUXO DE CAIXA	**R$ 0,00**	-	**#VALOR!**

Nome do Mês:

RECEITAS

DATA	ENTRADAS	PROJETADO	REALIZADO	DIFERENÇA PROJETADO E REALIZADO
				R$ 0,00
				R$ 0,00
				R$ 0,00
				R$ 0,00
				R$ 0,00
				R$ 0,00
				R$ 0,00
				R$ 0,00
				R$ 0,00
				R$ 0,00
	TOTAL ENTRADAS	**R$ 0,00**	**R$ 0,00**	**R$ 0,00**

DESPESAS

	DATA				
MORADIA					R$ 0,00
					R$ 0,00
					R$ 0,00
					R$ 0,00
					R$ 0,00
					R$ 0,00
					R$ 0,00
					R$ 0,00
	TOTAL		R$ 0,00	R$ 0,00	R$ 0,00
ALIMENTAÇÃO					R$ 0,00
					R$ 0,00
					R$ 0,00
					R$ 0,00
					R$ 0,00
					R$ 0,00
					R$ 0,00
					R$ 0,00
					R$ 0,00
					R$ 0,00
	TOTAL		R$ 0,00	R$ 0,00	R$ 0,00
RESERVA DE EMERGÊNCIA					R$ 0,00
					R$ 0,00
					R$ 0,00
					R$ 0,00
	TOTAL		R$ 0,00	R$ 0,00	R$ 0,00
RESERVA DE APOSENTADORIA					R$ 0,00
					R$ 0,00
					R$ 0,00
					R$ 0,00
					R$ 0,00
	TOTAL		R$ 0,00	R$ 0,00	R$ 0,00
RESERVA DE SONHOS E PROJETOS					R$ 0,00
					R$ 0,00
					R$ 0,00
					R$ 0,00
					R$ 0,00
					R$ 0,00
					R$ 0,00
					R$ 0,00
					R$ 0,00
					R$ 0,00

ETAPA IV

	TOTAL		R$ 0,00	R$ 0,00	R$ 0,00
PROTEÇÃO DO PATRIMÔNIO E SUCESSÃO					R$ 0,00
					R$ 0,00
					R$ 0,00
					R$ 0,00
					R$ 0,00
					R$ 0,00
					R$ 0,00
	TOTAL		R$ 0,00	R$ 0,00	R$ 0,00
DÍVIDAS					R$ 0,00
					R$ 0,00
					R$ 0,00
					R$ 0,00
					R$ 0,00
					R$ 0,00
	TOTAL		R$ 0,00	R$ 0,00	R$ 0,00
CARTÃO DE CRÉDITO					R$ 0,00
					R$ 0,00
					R$ 0,00
					R$ 0,00
					R$ 0,00
					R$ 0,00
					R$ 0,00
					R$ 0,00
					R$ 0,00
					R$ 0,00
					R$ 0,00
					R$ 0,00
	TOTAL		R$ 0,00	R$ 0,00	R$ 0,00
SAÚDE					R$ 0,00
					R$ 0,00
					R$ 0,00
					R$ 0,00
					R$ 0,00
					R$ 0,00
					R$ 0,00
					R$ 0,00
					R$ 0,00
					R$ 0,00
	TOTAL		R$ 0,00	R$ 0,00	R$ 0,00
TRANSPORTE					R$ 0,00
					R$ 0,00
					R$ 0,00
					R$ 0,00
					R$ 0,00
					R$ 0,00
					R$ 0,00
					R$ 0,00
					R$ 0,00
					R$ 0,00
					R$ 0,00
					R$ 0,00
					R$ 0,00
					R$ 0,00
	TOTAL		R$ 0,00	R$ 0,00	R$ 0,00
VESTUÁRIO					R$ 0,00
					R$ 0,00
					R$ 0,00
					R$ 0,00
					R$ 0,00
	TOTAL		R$ 0,00	R$ 0,00	R$ 0,00
PRESENTES E DOAÇÕES					R$ 0,00
					R$ 0,00
					R$ 0,00
					R$ 0,00
					R$ 0,00
					R$ 0,00
					R$ 0,00
					R$ 0,00
					R$ 0,00
					R$ 0,00
					R$ 0,00
					R$ 0,00
					R$ 0,00
	TOTAL		R$ 0,00	R$ 0,00	R$ 0,00
ENTRETENIMENTO E VIAGENS					R$ 0,00
					R$ 0,00
					R$ 0,00
					R$ 0,00
					R$ 0,00
					R$ 0,00
					R$ 0,00
					R$ 0,00
					R$ 0,00
					R$ 0,00
					R$ 0,00
					R$ 0,00
					R$ 0,00
					R$ 0,00

					R$ 0,00
					R$ 0,00
					R$ 0,00
					R$ 0,00
	TOTAL		R$ 0,00	R$ 0,00	R$ 0,00
AUTODESENVOLVIMENTO					R$ 0,00
					R$ 0,00
					R$ 0,00
					R$ 0,00
					R$ 0,00
					R$ 0,00
					R$ 0,00
					R$ 0,00
					R$ 0,00
					R$ 0,00
					R$ 0,00
					R$ 0,00
					R$ 0,00
					R$ 0,00
					R$ 0,00
					R$ 0,00
					R$ 0,00
					R$ 0,00
	TOTAL		R$ 0,00	R$ 0,00	R$ 0,00
OUTROS CUSTOS					R$ 0,00
					R$ 0,00
					R$ 0,00
					R$ 0,00
					R$ 0,00
					R$ 0,00
					R$ 0,00
					R$ 0,00
					R$ 0,00
					R$ 0,00
					R$ 0,00
					R$ 0,00
					R$ 0,00
					R$ 0,00
					R$ 0,00
					R$ 0,00
	TOTAL		R$ 0,00	R$ 0,00	R$ 0,00
		TOTAL	**R$ 0,00**	**R$ 0,00**	**R$ 0,00**
		FLUXO DE CAIXA	**R$ 0,00**	**R$ 0,00**	

ETAPA IV

Ponto, você *finalizou esta etapa*!

Agora é preencher, analisar e tomar
as medidas necessárias ao longo
dos próximos meses! Sucesso!

No anexo você terá as orientações necessárias para o preenchimento!

Este será seu planejamento financeiro anual.

Para controle, é preciso identificar mês a mês se as receitas e despesas mantêm recorrência, assim como os valores projetados.

O fluxo financeiro também o apoiará como "lembrete" de todos os pagamentos necessários. Assim, não deixará passar nenhum!

Essa fase exige disciplina e é fundamental, pois indicará a sua saúde financeira. Se o resultado do orçamento for positivo, existe capacidade de poupança; se estiver deficitário, é sinal de alerta; e se estiver equilibrado, é sinal de atenção.

Para o planejamento financeiro pessoal ser efetivo, é essencial que você aja e não procrastine. Fazendo assim, o tempo estará do seu lado e trabalhará em seu benefício para que atinja seus objetivos/sonhos. É imprescindível que os prazos sejam realistas e seguidos com disciplina; para isso, o consumo consciente é fundamental.

Monitorar o progresso garantirá a eficácia do plano. Recomenda-se revisar o planejamento financeiro todos os meses, a fim de verificar a inclusão ou exclusão de receitas e despesas e controlar o fluxo financeiro.

Se houver alguma mudança, é vital que você faça os ajustes necessários e que permaneça no rumo certo – o destino que definiu inicialmente.

A disciplina e o controle são essenciais para a perpetuidade do planejamento financeiro, pois de nada adianta planejar se o que foi proposto não for cumprido.

Seja protagonista
de sua história financeira!

E parabéns! Você finalizou mais uma etapa!

Pode resgatar o seu prêmio, a sua 4ª *estrela*!

ETAPA IV

Vamos para a última etapa: agora é com você!

ETAPA IV

ETAPA

V

8.5 Etapa V – Agora é com você!

E aí, após o fim do terceiro mês, como está o seu planejamento financeiro, mais receitas ou despesas? Há capacidade de poupança? Está poupando para as suas reservas de sonhos e projetos?

Bom, a partir de agora é com você!

Acredito que você se conscientizou, ou seja, está ciente de todas as suas decisões financeiras de consumo e necessidades de planejamento para o futuro. Após três meses utilizando o controle manual, você poderá utilizar o aplicativo de sua preferência. Será importante verificar os dados lançados, e não deixar apenas no automático.

E lembre-se: não basta apenas ter as informações. Você precisará analisá-las para tomar as medidas necessárias. Não se autossabote! Afinal, você chegou até este momento e poderá ir muito além!

Utilize as ferramentas a seu favor.

Tendo capacidade de poupança, é hora de investir!

Esse é o nosso próximo passo. Até lá!

ETAPA V

Agora é um momento especial! Parabéns! Você finalizou a *última etapa* e pode *resgatar seu prêmio*!

Enfim, a sua constelação!

CAPÍTULO 9

VOCÊ PRECISA SABER!

Este capítulo está reservado para você consultar informações complementares dos demais capítulos do livro. São informações, rotas e orientações essenciais para o sucesso em seu planejamento financeiro!

9.1 Planos econômicos e os impactos no planejamento financeiro

Antes da implantação do Plano Real, em 1994, outros planos econômicos foram estabelecidos com o objetivo de controlar a alta dos preços, porém, sem sucesso. Alguns desses planos alteraram a moeda em circulação do Brasil. Considerando a década de 1980, iniciamos com o Plano Cruzado, em 1986, que alterou o Cruzeiro (a moeda corrente), então modelo oficial, pelo Cruzado (a nova moeda).

Desde a redemocratização do Brasil, além do Plano Cruzado, foram implantados outros planos econômicos para conter a inflação, e estes alteraram a moeda em circulação.

Apresenta-se na Tabela 9 a indicação dos planos econômicos e moedas utilizadas nos referidos períodos.

Tabela 9 – Planos econômicos e moedas utilizadas

Mês/ano	Identificação do plano econômico	Moeda utilizada
Fevereiro/1986	Plano Cruzado	Cruzado
Novembro/1986	Plano Cruzado II	Cruzado
Junho/1987	Plano Bresser	Cruzado
Novembro/1989	Plano Verão	Cruzado Novo
Março/1990	Plano Collor I	Cruzeiro
Janeiro/1991	Plano Collor II	Cruzeiro/Cruzeiro Real
Janeiro/1994	Plano Real – 1ª etapa	URV – Unidade Real de Valor
Julho/1994	Plano Real – 2ª etapa	Real

Destacam-se a seguir, de acordo com a *Folha de São Paulo* (2014), as medidas implantadas considerando os planos econômicos adotados:

Plano Cruzado

Foi lançado em 28 de fevereiro de 1986, pelo então presidente do Brasil, José Sarney. Esse plano é conhecido pelo congelamento de preços. Alimentos, combustíveis, produtos de limpeza, serviços e até o dólar tiveram preços tabelados pelo governo. A moeda foi alterada, deixou-se o Cruzeiro e adotou-se o Cruzado, com a equivalência de 1.000 Cruzeiros = 1 Cruzado.

De acordo com a *Folha de São Paulo* (2014), o congelamento de preços era um dos instrumentos para quebrar a lógica da inflação inercial do país, ou seja, os preços eram reajustados tentando recompor a inflação passada, criando uma espiral de aumentos. Acabou acontecendo a última opção. Sem redução dos gastos do governo, a demanda cresceu e o consumo aumentou. Em pouco tempo, faltavam produtos nos supermercados, e o governo lançou mão até da desapropriação de bois nos pastos para tentar atender ao consumo. Com isso, o Plano expirou no segundo semestre de 1986.

Plano Cruzado II

Foi lançado em 22 de novembro de 1986, pelo então presidente do Brasil, José Sarney. Dado o fracasso do Plano Cruzado, no segundo semestre de 1986 o governo anunciou o Plano Cruzado II, com ajustes no plano inicial. O principal objetivo desse plano era a tentativa de controlar o consumo e o déficit público[2], com o aumento de tarifas e impostos.

De acordo com a *Folha de São Paulo* (2014), os automóveis foram reajustados em 80%, o combustível, em 60%, e a energia elétrica, em 35%. Os demais preços continuariam congelados, mas a população já pagava ágio para adquirir alguns itens que não havia nos supermercados, como a carne. A tentativa de ajuste não durou muito tempo. Extinguiu-se em junho de 1987.

---

2. De acordo com Santiago (2011), o déficit público é a relação na qual o valor total das despesas públicas é maior que o valor total das receitas públicas, considerando-se, nessa determinada relação, os valores nominais, ou seja, a inflação e a correção monetária do mesmo período considerado.

Plano Bresser

Foi lançado em 12 de junho de 1987, pelo então presidente do Brasil, José Sarney. De acordo com a *Folha de São Paulo* (2014), o Plano Bresser fez um novo congelamento de preços, dessa vez com validade de três meses. Extinguiu-se o gatilho, criado no Plano Cruzado, que aumentava os salários sempre que a inflação chegasse a 20%. Ainda, o plano desvalorizou de imediato a taxa de câmbio em 10%, com o propósito de aumentar as exportações e obter receita em dólares, essenciais após a moratória[3] da dívida externa anunciada naquele ano. O pacote ainda previa um corte no déficit público, que representava redução de despesas, mas essa medida não seguiu adiante.

Plano Verão

Foi lançado em 22 de novembro de 1989, pelo então presidente do Brasil, José Sarney. De acordo com a *Folha de São Paulo* (2014), foi anunciado o terceiro congelamento de preços e a troca de moeda para o Cruzado Novo, em que 1.000 Cruzados eram equivalentes a 1 Cruzado Novo. Adicionalmente, o governo elevou a taxa de juros e propôs cortes de gastos. Aos poucos, os preços foram descongelados. A inflação alcançou 1.972% no fim do ano.

---

3. De acordo com a *Folha de São Paulo* (1997), a moratória teve dois objetivos. O primeiro era estancar a perda de reservas e, na sequência, permitir sua recuperação gradual. Esse objetivo foi logo alcançado, já em 1987. O segundo era pressionar os credores a aceitar uma mudança nos termos da negociação da dívida. Para alcançá-lo, a moratória foi decretada unilateralmente e por prazo indeterminado. A retomada de pagamentos ficara expressamente condicionada a avanços no processo de negociação.

Plano Collor I

Foi lançado em 16 de março de 1990, pelo então presidente do Brasil, Fernando Collor de Mello. À época, a moeda trocou de nome e voltou a chamar-se Cruzeiro.

De acordo com a *Folha de São Paulo* (2014), a principal marca do plano foi o confisco das poupanças, contas-correntes e outros ativos financeiros dos brasileiros. O diagnóstico era que a inflação deveria ser contida com a limitação brusca de recursos em circulação na economia, com o corte de gastos do governo e dos poupadores. Os preços foram congelados, e os salários passariam a ser corrigidos pela previsão de inflação do mês seguinte. Adicionalmente, o governo anunciou que facilitaria a entrada de produtos importados. As medidas levaram a economia à retração e reduziram a arrecadação de impostos do governo. Dadas as condições, o governo sofreu ações na Justiça, o que permitiu a liberação parcial de recursos bancários, e, com isso, a inflação voltou a acelerar.

Plano Collor II

O plano foi lançado em 31 de janeiro de 1991, pelo então presidente do Brasil, Fernando Collor de Mello. Para esse plano o governo anunciou o congelamento de preços, a contenção de salários e medidas para incentivar a produção, afetada pelas ações do Plano Collor I.

Segundo a *Folha de São Paulo* (2014), para desestimular a indexação, o governo extinguiu a possibilidade de aplicações de curtíssimo prazo que tinham como objetivo preservar os investimentos da corrosão da inflação. Menos de um mês depois, com a pressão da população, o governo não conseguiu levar o plano adiante. Nessa época, a inflação fechou o ano de 1991 acumulada em 472%, com a economia em rota de recessão.

Plano Real

Foi lançado em 28 de fevereiro de 1994, pelo então presidente do Brasil, Itamar Franco. O plano foi realizado em etapas e começou com o lançamento da URV (Unidade Real de Valor), uma transição até a completa adoção de uma nova moeda, o Real, que começou a circular em 1º de julho do mesmo ano. É importante destacar que um ano antes o governo havia feito uma troca de moeda, cortando três zeros do Cruzeiro e criando o Cruzeiro Real.

Segundo a *Folha de São Paulo* (2014), a equivalência do Real para o Cruzeiro Real era de 1 para 2.750. O diagnóstico do plano continha as mesmas premissas que embasaram o Plano Cruzado: compreendia que a raiz da inflação brasileira era inercial. Isto é, os reajustes tentavam recompor as perdas da inflação passada, criando uma espiral de aumento. Na primeira etapa do Plano Real, todos os preços da economia passaram a ser fixados em URVs, que eram corrigidas diariamente. Depois, migraram para o Real.

O alinhamento de preços evitou o movimento de recomposição de perdas e derrubou a inflação já no primeiro mês. O consumo foi contido com políticas de restrição ao crédito, e, com a economia mais aberta, importados supriram parte do mercado. Sem congelamento ou choque, o plano foi considerado exitoso à época e levou à eleição, em 1994, no primeiro turno, do então ministro da Fazenda, Fernando Henrique Cardoso.

Diante de tantas mudanças, é de se entender o consumo imediatista do brasileiro. É fato que conter a inflação era o principal objetivo dos planos econômicos. Por isso, é preciso compreender os aspectos históricos da inflação no Brasil e como eles influenciam no planejamento financeiro.

9.2 Impactos da taxa de juros no planejamento financeiro

A taxa básica de juros no Brasil é a Selic. Ela é definida pelo Copom (Comitê de Política Monetária do Banco Central do Brasil) a cada 45 dias, aproximadamente. O Banco Central tem o papel de assegurar a estabilidade do poder de compra da moeda e um sistema financeiro sólido e eficiente no país.

A Selic é a taxa que baliza a economia no país. Pode-se dizer que é, basicamente, os juros que o governo paga a quem empresta dinheiro para ele por meio de títulos públicos, ou seja, uma taxa média de financiamento. Os títulos públicos são ativos de renda fixa, isto é, seu rendimento pode ser dimensionado no momento do investimento, com o objetivo de financiar a dívida pública nacional. Esses títulos contam com liquidez diária, baixo custo e baixo risco de crédito.

No **Gráfico 2** pode-se consultar o histórico da taxa Selic no Brasil. O país passou por momentos de taxas de juros elevadas, na ordem de 44% em 2002, logo após entrar em vigor o Plano Real, a nova moeda do país, em vigência atualmente. A partir de 2003, as taxas tiveram considerável redução; contudo, no decorrer dos anos seguintes, ainda instáveis, apresentam-se em 6,25% (referência 31.08.2021).

Gráfico 2 – Taxa Selic no Brasil ao ano (1996-2021 – valores em %).

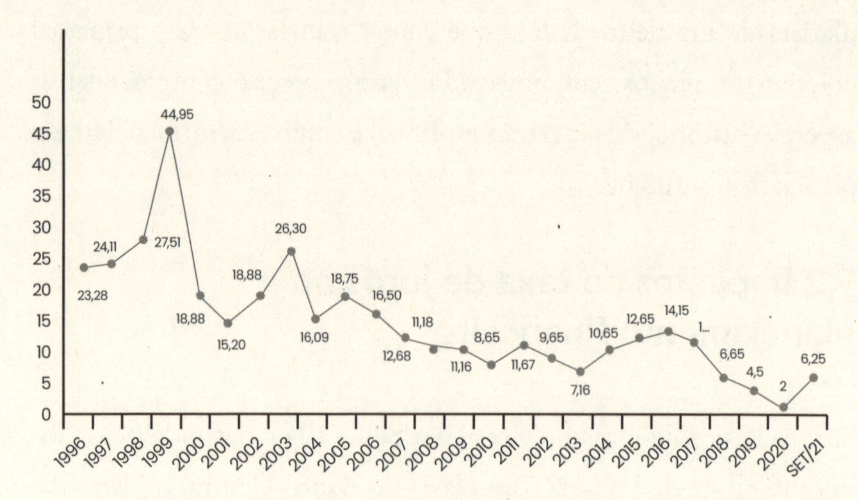

Fonte: Banco Central do Brasil (2021).

Como a Selic é a taxa que baliza a economia no país, ela tem grande importância no contexto do planejamento financeiro. Se, por exemplo, a taxa Selic diminui, as instituições financeiras vão emprestar mais recursos aos indivíduos e às empresas. Contudo, quando a taxa aumenta, os bancos lucram mais, adquirindo títulos públicos do governo. Desse modo, pode-se dizer que o dinheiro disponível para os indivíduos e empresas fica mais escasso, e, consequentemente, quanto menos recursos disponíveis no mercado, mais caro ele fica. Estamos diante da lei da oferta e procura. Tem-se aí o grande impacto da Selic no planejamento financeiro.

Todos precisamos planejar a aquisição de um bem; no entanto, as condições de financiamento podem ser adversas, ou seja, mais caras, a depender a taxas de juros que vigora no país.

Além disso, a taxa de juros Selic tem uma relação intrínseca com a inflação, pois, quanto maior for a Selic, menor a quantidade de dinheiro disponível no mercado para os consumidores. Consequentemente, o crédito mais caro e escasso faz com que indivíduos e empresas tenham menos acesso e, com isso, diminui o consumo; como resultado a inflação cai. Sendo assim, pode-se afirmar que a taxa Selic é um dos principais instrumentos de controle da inflação utilizados pelo governo brasileiro.

Isto posto, para os indivíduos e empresas, a condição mais favorável tende a ser os juros baixos, pois eles elevam a capacidade de consumo, tendo em vista que os custos dos empréstimos e financiamentos estão mais acessíveis.

Considere-se ainda que as empresas terem acesso a crédito mais barato significa aumentar os investimentos em capacidade produtiva, gerando, assim, mais empregos, aquecendo a economia. Contudo, é preciso destacar que, se há mais consumo, existe também crescimento da inflação, tendo em vista que haverá maior demanda e, por isso, os preços tenderão a subir.

Haja vista o histórico do Brasil no que se refere a inflação e a taxas de juros, a educação financeira tem papel fundamental para conscientização da importância do planejamento financeiro e, com ele, do consumo consciente.

9.3 Cheque especial: é para emergências, e não complemento de salário!

O cheque especial é uma linha crédito, e você precisa conhecê-la melhor, já que os juros envolvidos e outras informações essenciais afetam seu planejamento financeiro.

9.3.1 O cheque "especial"

O cheque especial é uma operação de crédito. Apesar de estar disponível em sua conta-corrente, trata-se de um empréstimo que está "pré-aprovado". Sendo assim, o recurso não é seu, é da instituição financeira. Você pode dizer que isso é obvio. Se você não utiliza, muito bem! Mas, para quem trata o cheque especial como complemento de salário, aqui está um alerta. Esse recurso não é disponibilizado de graça, uma vez que tem uma taxa de juros embutida quando utilizado, e ela não é barata.

O objetivo do cheque especial é cobrir movimentações financeiras quando não há saldo disponível na conta. É recomendado para utilização no curtíssimo prazo, em emergências. Após a sua utilização, é recomendado que você imediatamente faça o pagamento, ou seja, que você "cubra" a conta, minimizando, assim, os custos incorridos nessa utilização.

Esse nome "cheque" não é "cheque impresso" como conhecemos. Segundo o Banco Central (2021), o cheque especial é uma linha de crédito contratada na instituição financeira, vinculada à conta de depósitos à vista, e que pode ser utilizada para cobrir pagamentos de contas, boletos e cheques, saques em dinheiro, transferência de recursos, débitos em conta, entre outros fins.

A concessão dessa linha de crédito é realizada mediante contrato que deve conter todas as informações e custos necessários para o cliente. Cada instituição financeira, de acordo com a política de crédito definida, pode conceder ou não esse limite de crédito ao cliente; dependerá do histórico financeiro e do relacionamento entre as partes.

As instituições financeiras não podem cobrar tarifa para disponibilização do cheque especial. Segundo o Banco Central (2021), o Plenário do Supremo Tribunal Federal, em julgamento da Ação Direta de Inconstitucionalidade nº 6.497, declarou inconstitucional o artigo 2º da Resolução 4.765, de 2019; assim, as instituições financeiras não podem realizar a cobrança de tarifas de clientes pessoas físicas e microempreendedores individuais pela disponibilização de limite de cheque especial, nem mesmo quando o limite seja superior a R$ 500,00 (essa cobrança já estava suspensa desde 30.04.2020 por força de medida liminar).

Para acompanhamento referente à utilização, as instituições financeiras precisam divulgar as informações no extrato. Segundo o Banco Central (2021), as informações mínimas obrigatórias para os extratos fornecidos a pessoas naturais e microempreendedores individuais (MEI) são:

- Limite de crédito contratado;
- Saldo devedor na data do fornecimento do extrato;
- Valores utilizados diariamente;
- Valor e forma de apuração da eventual tarifa cobrada pela disponibilização do limite de crédito;
- Taxa de juros efetiva ao mês;
- Valor dos juros acumulados no período de apuração, até a data do fornecimento do extrato, destacando eventual dedução realizada em decorrência da cobrança da tarifa.

9.3.2 Adiantamento a depositante

Você sabe quando o adiantamento a depositante é cobrado?

Melhor do que isso, vamos começar explicando o que é adiantamento a depositante. Trata-se de uma tarifa cobrada quando o cliente excede o valor disponível na conta-corrente (tendo ou não o cheque especial).

Posso dar um exemplo. Suponha que você tenha R$ 1.000,00 na conta-corrente (legal, hein!) e faça um pagamento de R$ 1.010,00. Nesse caso, o pagamento ultrapassou em R$ 10,00 o valor disponível no saldo. Se a instituição financeira acatar esse pagamento, o cliente terá a cobrança da tarifa de adiantamento a depositante por ter excedido o valor da conta. Em linhas gerais, essa tarifa tem um valor fixo a ser cobrado, independentemente do valor utilizado. Adicionam-se à tarifa os juros, de acordo com o valor utilizado, e o IOF (Imposto sobre operações financeiras).

9.3.3 Taxas de juros

Desde 06.01.2020 está estabelecido um limite para cobrança da taxa de juros do cheque especial pelas instituições financeiras. Segundo determinação do Banco Central (2021), as instituições podem cobrar no máximo 8% ao mês; essa taxa de juros é a taxa efetiva (*não a nominal*) que poderá ser cobrada pelas instituições, independentemente da forma de capitalização diária realizada no mês, não podendo ser ultrapassado tal limite.

Segundo o Banco Central (2021), as taxas de juros das instituições financeiras, considerando o *cheque especial e o adiantamento a depositante*, e tendo como referência o mês de novembro de 2021, oscilaram entre 66,87% e 418,21%[4] ao ano! Exemplificando: uma dívida de R$ 1.000,00 no início do ano e uma taxa de 418,21% ao ano no final do período produzirão uma dívida total de R$ 5.180,00!

Por isso é importante ter a reserva de emergência conforme recomendado no livro. Assim, num momento de imprevisto, em vez de recorrer ao cheque especial, você poderá utilizar essa reserva.

Se for necessária a utilização do cheque especial, será essencial fazer o pagamento o mais rápido possível, para que se possa minimizar as despesas com juros. Dado o exposto em relação às taxas de juros, é preciso pesquisar as instituições financeiras antes de contratar o serviço.

9.4 Registrato[5]: consulte suas informações de empréstimos e financiamentos

O Registrato é uma ferramenta do Banco Central do Brasil que reúne informações gratuitas sobre a vida financeira do indivíduo, tais como:

a. Informações sobre empréstimos e financiamentos

---

4. As taxas de juros informadas compreendem operações de cheque especial e de adiantamento a depositantes. Correspondem ao custo efetivo médio das operações para os clientes, composto das taxas de juros efetivamente praticadas, acrescidas dos encargos fiscais e operacionais incidentes sobre as operações. Fonte: Banco Central (2021).

5. Todas as informações citadas estão disponíveis no site do Banco Central do Brasil. Disponível em: https://www.bcb.gov.br/cidadaniafinanceira/registrato>. Acesso em: set. 2021.

Ao consultar este item, você tem acesso a um relatório que disponibiliza informações como saldo devedor, modalidade (empréstimo consignado, cartão de crédito, cheque especial etc.) e *status* (a vencer ou vencida) de empréstimos e financiamentos contratados por pessoa física ou jurídica em cada banco ou outra instituição autorizada a funcionar pelo Banco Central.

De acordo com o Banco Central (2021), o relatório possibilita acesso ao conhecimento do nível de endividamento, e, com isso, é possível avaliar melhor a contratação de novas operações. Ele também permite identificar possíveis operações de empréstimos e financiamentos que tenham sido efetuadas em seu nome de forma fraudulenta. Com essas informações, você poderá tomar as medidas necessárias.

Adicionalmente, a partir do momento em que você tem acesso às informações de todas as suas operações de empréstimos e financiamentos, poderá identificar aquelas que estão vencidas (em atraso) e buscar a instituição para efetuar o pagamento ou renegociar a dívida. Com isso, você reduz a incidência de juros sobre os valores em atraso e regulariza os registros em cadastros restritivos (negativos), que podem dificultar a obtenção de novos créditos.

As informações desse relatório são extraídas do Sistema de Informações de Crédito (SCR), que é um banco de dados com informações sobre operações de crédito e garantias contratadas por clientes com as instituições autorizadas a funcionar pelo Banco Central.

b. Lista dos bancos e financeiras onde você possui conta ou outro tipo de relacionamento, como investimentos

Ao acessar este item, você tem acesso a um relatório, de natureza cadastral, que abrange os relacionamentos mantidos pelos clientes (pessoa física ou jurídica) ou representantes legais com bancos e outras instituições autorizadas pelo Banco Central a operarem no mercado financeiro. As informações desse relatório são extraídas do Cadastro de Clientes do Sistema Financeiro Nacional (CCS), base de dados mantida pelo Banco Central com base nas informações fornecidas pelas instituições financeiras.

É importante dizer que, além de contas, o relatório abrange outros relacionamentos, como investimentos, aplicações e outros ativos. Esse relatório não contém dados de movimentação financeira.

O relatório permite, ainda, que você possa acessar dados próprios, verificar a ocorrência de uso indevido de CPF ou CNPJ e buscar relacionamentos bancários de pessoa falecida para fins de inventário. Portanto, ele é essencial.

c. Indicação das suas chaves Pix cadastradas em bancos, instituições de pagamento e outros

Este item apresenta um relatório que traz a lista dos bancos, cooperativas de crédito e outras instituições financeiras e de pagamento nas quais você tem uma chave Pix.

A chave é um "apelido" utilizado para identificar a sua conta. Como chave Pix, a pessoa pode escolher CPF/CNPJ, e-mail, número de telefone celular ou uma chave aleatória.

O relatório permite à pessoa física ou jurídica:

- Acessar dados próprios;
- Consultar quais dados estão vinculados a cada chave Pix nos bancos e em outras instituições fiscalizadas pelo Banco Central que fazem parte do Pix;

- Verificar se o seu CPF ou CNPJ estão vinculados a uma chave Pix sem sua autorização. Com isso, pode-se agir e tomar as devidas medidas.

d. Consulta a dívidas inscritas em seu nome no Cadin federal.

Neste tema é possível encontrar um relatório de natureza cadastral que contém informações das dívidas de pessoas físicas e jurídicas com órgãos e entidades credoras da administração pública federal, direta e indireta

As informações desse relatório são extraídas do Cadastro Informativo de créditos não quitados do setor público federal (Cadin). O Banco Central apenas administra e disponibiliza o sistema de banco de dados que contém as informações do Cadin e fornece para a administração o suporte técnico-operacional necessário ao processamento, controle e acompanhamento do fluxo de informações para seu pleno funcionamento.

As informações são registradas por cada órgão ou entidade federal credora. O Banco Central registra apenas as informações relativas aos seus créditos. Não há, no relatório, registros de pendências com a administração pública estadual. No entanto, há estados que têm cadastros próprios, regulados por legislação estadual, os chamados "Cadins estaduais". Qualquer informação relativa a Cadin estadual deve ser solicitada diretamente à Secretaria de Fazenda do estado pertinente.

Esse relatório é essencial, porque os órgãos e entidades da administração pública federal, direta e indireta, obrigatoriamente consultam o Cadin, base de dados da qual são extraídas as informações do relatório, antes da realização de (i) operações de crédito que envolvam a utilização de recursos públicos, (ii) concessão de incentivos fiscais e financeiros e (iii) celebração de convênios, acordos, ajustes ou contratos que envolvam desembolso, a qualquer título, de recursos públicos, e respectivos aditamentos.

A partir do momento em que se tem acesso às informações de todas as suas dívidas com o setor público federal, pode-se identificar o órgão ou a entidade da administração pública credora para sanar a dívida e poder ter acesso a esses benefícios.

e. Dados sobre operações de câmbio e transferências internacionais que você realizou

Trata-se de um relatório que disponibiliza informações sobre as operações de câmbio ou de transferências de valores *do* ou *para* o exterior, em determinado período, operações estas efetuadas pelos clientes.

O relatório abrange as operações de compra e venda de moeda estrangeira realizadas por pessoas físicas ou jurídicas, residentes, domiciliadas ou com sede no país, para fins de constituição de disponibilidades no exterior e do seu retorno, bem como as transferências financeiras efetuadas na forma de aplicações no exterior por meio de instituições autorizadas pelo Banco Central a operarem no mercado financeiro.

As informações desse relatório são extraídas do Sistema de Informações Banco Central do Brasil (Sisbacen) com base em dados fornecidos pelas instituições financeiras.

O relatório permite a pessoas físicas e jurídicas (i) ter acesso aos dados próprios referentes aos registros de operações de câmbio e transferências internacionais, (ii) verificar a ocorrência de uso indevido de

CPF ou CNPJ e (iii) servir como fonte de informações para o preenchimento da Declaração de Capitais Brasileiros no Exterior (CBE).

f. Se você não tem conta ativa em um banco, pode emitir a certidão de inexistência de contas em bancos

Acessando esse item no Registrato, pode-se emitir uma certidão.

9.4.1 Acesse o Registrato e confira seus dados

> O acesso ao Registrato deve ser feito via link. Acesse-o:
> https://www.bcb.gov.br/cidadaniafinanceira/registrato

Clique no botão "Acessar o Registrato", conforme imagem abaixo.

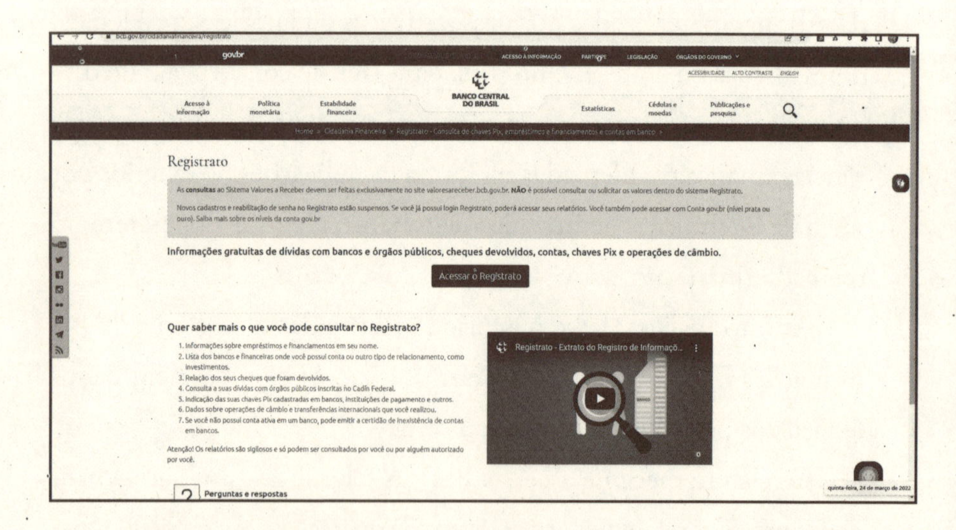

1. Escolha a forma que deseja acessar.

Se já tem uma conta no site gov.com.br, acesse com os mesmos dados, ou faça o seu cadastro diretamente no Registrato e tenha acesso aos dados.

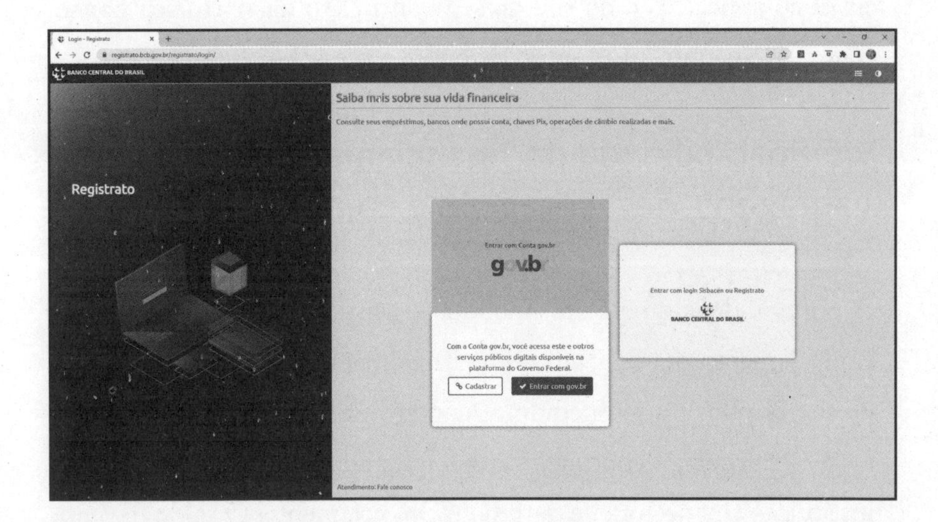

2. Ao logar com os dados de seu usuário e senha, você terá acesso aos relatórios. Para isso, basta clicar no relatório que deseja acessar e definir o período de consulta.

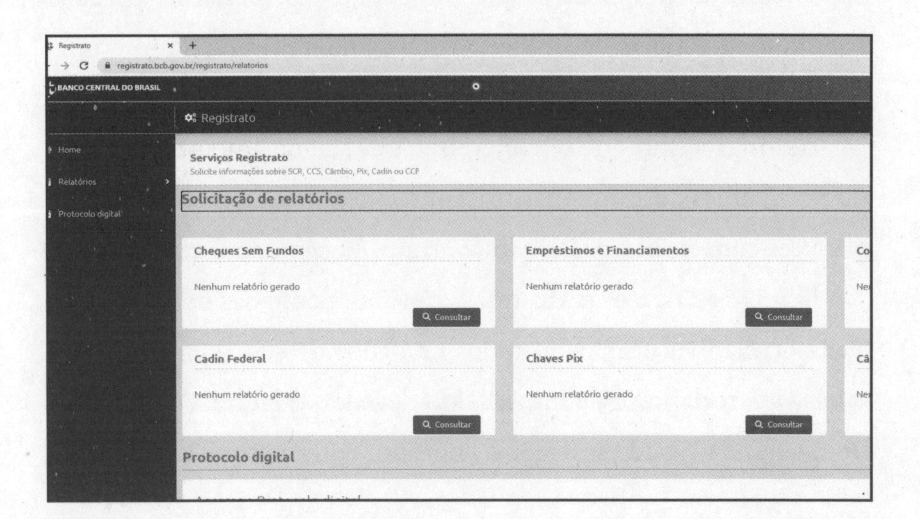

Por fim, é importante destacar que os relatórios são sigilosos e só podem ser consultados por você ou por alguém autorizado por você.

Você sabia que a consulta ao Registrado também está disponível no aplicativo e no site de seu banco? Ao logar em seu banco, digite "Registrato" no campo de busca e acesse!

9.5 Portabilidade de financiamento imobiliário: vantagens, desvantagens e como fazer

A portabilidade de crédito imobiliário possibilita a transferência do financiamento ora realizado numa instituição financeira para outra de sua escolha e a seu pedido. Quando você solicita a portabilidade e ela é realizada, o contrato original é liquidado antecipadamente na instituição financeira que detinha o financiamento. O saldo devedor é pago pela nova instituição, com a qual o novo contrato foi firmado.

Geralmente, essa ação é realizada quando você encontra condições mais favoráveis em outra instituição financeira, por exemplo, melhores taxas de juros. Essa é uma condição fundamental, haja vista que na maioria dos casos o financiamento imobiliário é uma dívida que se arrasta durante anos.

Assim, mesmo que se concretize um financiamento imobiliário hoje com determina instituição, não significa que se deve permanecer com ela até o final do contrato. Você pode fazer escolhas.

Lembre-se de que realizamos o levantamento das dívidas, e naquela ocasião você mapeou todos os dados de seu financiamento: valor da parcela, taxa de juros, saldo devedor, quantidade de meses em que ainda estará em vigor o contrato, entre outras. Essas informações são essenciais para, periodicamente, consultar as condições em outras instituições financeiras.

O momento em que realizou o financiamento imobiliário é vital para a análise. Quais eram as condições da taxa de juros naquele momento? Se as taxas de juros estavam altas, certamente uma portabilidade será benéfica num momento de taxas de juros mais baixas. De outro modo, se, no momento em que fez o financiamento, as taxas de juros eram baixas, e agora estamos num cenário de taxas mais altas, muito provavelmente a troca de instituição não será positiva.

Adicionalmente, existem vantagens e desvantagens a considerar:

Vantagens:

- Redução dos juros, haja vista que a portabilidade fará sentido tendo esse benefício;
- Consequentemente, redução do valor das parcelas mensais;
- Outros benefícios na instituição financeira, uma vez que você aumentou seu relacionamento.

Desvantagens:

- Custos de cartório, uma vez que terá de fazer um novo contrato de alienação fiduciária com a nova instituição financeira;
- Possibilidade de nova avaliação do imóvel, gerando essa tarifa;
- Adicionalmente, segundo o Banco Central (2021), há a possibilidade de cobrança de tarifa pela liquidação antecipada da operação nas seguintes situações:

i. contratos assinados antes de 10 de dezembro de 2007: pode ser cobrada a tarifa quando for efetivada a liquidação, desde que a cobrança dessa tarifa esteja prevista no contrato;

ii. contratos assinados entre 8 de setembro de 2006 e 9 de dezembro de 2007: para que seja cobrada a tarifa, o valor máximo a ser cobrado deve constar do contrato;

iii. contratos assinados a partir de 10 de dezembro 2007: é vedada a cobrança de tarifa por liquidação antecipada, desde que o cliente seja pessoa física, microempresa ou empresa de pequeno porte.

Dado o exposto, é possível concluir que não apenas o valor da parcela e a taxa de juros devem ser considerados na decisão da portabilidade do financiamento imobiliário; os custos devem ser apurados e analisados para a tomada de decisão.

Para isso, é fundamental a realização de simulações nas instituições financeiras. Assim, antes de tomar a decisão, você terá ciência de todas as condições e custos.

Outro fator determinante no caso da instituição financeira é o relacionamento que você tem com ela, considerando o tempo de conta, produtos, seu *score,* que engloba a pontualidade nos pagamentos, e sua condição financeira, entre outros.

No momento da simulação, é importante considerar:

1. O CET – Custo Efetivo Total (compreende todos os encargos e despesas incidentes nas operações de crédito contratadas por pessoas físicas, microempresas e empresas de pequeno porte);
2. O novo valor da prestação. A quantidade de meses do novo financiamento, ou seja, o prazo remanescente. Tarifa de avaliação do imóvel. Custos com o cartório para registro da nova alienação fiduciária.

Após ter esses dados, faça um comparativo com a condição que existe atualmente. Com base nisso, tome a melhor decisão.

9.5.1 Passo a passo para fazer a portabilidade de financiamento imobiliário

Segue o passo a passo.

1. Para realizar a simulação, você precisará de informações sobre a situação atual de seu financiamento imobiliário. Sendo assim, solicite à instituição financeira que detém seu financiamento as seguintes informações:

- Saldo devedor atualizado;
- Data do último vencimento;
- Cópia do contrato desta operação.

2. Agora que você tem as informações necessárias para realização de simulações em outras instituições financeiras de sua preferência, considere as informações expostas neste texto sobre as premissas que deve cogitar ao realizar a simulação de portabilidade.

3. Tome a decisão e comunique à intuição financeira que escolheu realizar a portabilidade. A partir do momento em que fizer isso, a nova instituição iniciará o processo de portabilidade com a outra instituição financeira.

4. A nova instituição financeira "solicitará" formalmente a portabilidade para a outra instituição, via Câmara Interbancária de Pagamentos (CIP). A CIP é uma associação civil sem fins lucrativos que integra o SPB (Sistema de Pagamen-

tos Brasileiros) e é responsável por garantir a segurança e a transparência das operações financeiras.

5. Uma vez que a instituição financeira fez o registro na CIP, a instituição que detém o seu financiamento terá o prazo de cinco dias úteis para entrar em contato com você para retenção. A tendência é oferecer condições mais favoráveis para que você mantenha o financiamento na instituição atual. Se você estiver de acordo com as condições propostas e formalizar a sua desistência da portabilidade, a instituição que detém o seu financiamento comunicará à CIP, e o processo será interrompido.

Essa também é uma forma de obter melhores condições na instituição financeira atual. Afinal, nenhuma instituição quer perder. Antes de tudo, é claro, é fundamental que você busque melhores condições na própria instituição que detém seu financiamento imobiliário original antes de partir para a portabilidade.

Enfim, retomando o processo.

6. Uma vez que você decidir seguir com a portabilidade após contato da instituição financeira detentora de seu financiamento, esta, por sua vez, deverá enviar as informações necessárias para que a nova instituição realize a operação.

7. Nessa ocasião a instituição financeira para a qual você fez a portabilidade quitará todos os débitos com a sua primeira instituição. A partir desse momento, a responsabilidade é da

nova instituição que assumiu a dívida. A instituição financeira que detinha a dívida anteriormente terá dois dias úteis para enviar à nova instituição o documento comprovando que a portabilidade foi efetivada. É importante dizer que os custos desta operação entre bancos não podem ser repassados a você.

8. A partir desse momento, todo o seu relacionamento estará com a nova instituição detentora de seu financiamento imobiliário!

9.5.2 Dados da portabilidade de financiamento imobiliário no Brasil

De acordo com a Agência Brasil (2020), dados apontaram que em janeiro/2020 os pedidos de portabilidade concluídos para os contratos pelo Sistema Financeiro de Habitação (SFH) chegaram a 678. Em relação a janeiro de 2019, esses pedidos aumentaram mais de quatro vezes – crescimento de 326,4%. Em 2019, os pedidos efetivados chegaram a 3,325 milhões, com aumento de 232,5% em relação ao ano de 2018.

Em valores, a portabilidade chegou a R$ 188,9 milhões em janeiro e a R$ 868,542 milhões ao longo de 2019. Considerando o Sistema de Financiamento Imobiliário (SFI), os pedidos efetivados em janeiro foram 162, com aumento de 153,13% em relação ao mesmo mês de 2019. Em 2019, os pedidos somaram 1.282, com crescimento em relação a 2018 de 173,9%. O volume chegou a R$ 93,6 milhões, em janeiro, e a R$ 813,1 milhões em 2019.

Você sabe a diferença entre SFH e SFI?

- Sistema Financeiro de Habitação (SFH): segundo a Agência Brasil (2020), é regulamentado pelo governo Federal, que estabelece o valor máximo de avaliação do imóvel, o custo efetivo máximo igual a 12% ao ano e a atualização do saldo devedor pela remuneração básica aplicável aos depósitos de poupança (taxa referencial).
- Sistema de Financiamento Imobiliário (SFI): as condições são livremente negociadas entre os clientes e os bancos.

Sabe-se que os recursos do SFH e do SFI são captados principalmente em depósitos de poupança pelos bancos e outras instituições financeiras integrantes do Sistema Brasileiro de Poupança e Empréstimo (SBPE). No caso do SFH, os recursos também provêm do Fundo de Garantia por Tempo de Serviço (FGTS).

9.6 Saiba como economizar energia e reduza sua conta de luz!

Economizar energia elétrica reduz a sua conta de luz e corrobora o uso consciente dos recursos naturais, contribuindo, assim, com o nosso meio ambiente. São atitudes simples e práticas como essas que podem ser incluídas em sua rotina.

1. Apague as luzes

Sim, isso mesmo! Apague as luzes quando não estiver presente no ambiente. Existe um ditado popular que diz que "luz que se apaga é luz que não se paga". Esse ditado traduz a essência desta ação: economizar. Para apoiá-lo esse processo, caso não faça parte de seu hábito, utilize lembretes no ambiente e, de preferência, próximos aos interruptores. Assim, ao acender a luz, a pessoa terá contato com a mensagem para quando sair: "Apagar a luz". Propague essa ação não só em sua casa, mas também na vizinhança e no condomínio. Ações educativas contribuem para a sociedade e, consequentemente, para o planeta.

2. Tire da tomada os aparelhos que não estão em uso

Em linhas gerais, muitos aparelhos eletrônicos consomem energia mesmo quando estão desligados, caso estejam conectados à tomada. Citam-se como exemplo televisões, *notebooks*, carregadores de celular, secadores, entre outros. Nesse sentido, se não estiver usando o aparelho, tire-o da tomada. É importante utilizar o bom senso, uma vez que, se fizer isso com a geladeira, terá prejuízo, ao invés de economia. Torne isso um hábito, faça essa verificação diariamente ao sair de casa e envolva a sua família.

3. Utilize a luz natural e aposte nas lâmpadas corretas

Use a luz natural a seu favor. Abra as janelas e deixe o sol entrar. Muitas vezes a luz natural ilumina completamente o ambiente de forma a não ser necessário o uso da luz elétrica.

Outro fator importante é utilizar as lâmpadas adequadas. De acordo com a *Gazeta do Povo* (2021), trocar lâmpadas incandescentes por fluorescentes é uma atitude muito eficaz para economizar energia; os modelos LED são ainda melhores, por serem recicláveis e não oferecerem problemas que envolvem o mercúrio das fluorescentes.

4. Atenção ao selo dos aparelhos elétricos que possui e na compra dos novos!

Ao adquirir um novo aparelho, adicionalmente ao custo e *design* é importante atentar para produtos que têm o selo de eficiência energética do Programa Nacional de Conservação de Energia Elétrica (Procel). Aparelhos com esse selo consomem menos energia elétrica comparativamente a outros da mesma classe que não têm o selo.

Segundo o Portal Procelinfo (2021), o Procel

> é um programa de governo, coordenado pelo Ministério de Minas e Energia. Foi instituído em 30 de dezembro de 1985, pela Portaria Interministerial nº 1.877, para promover o uso eficiente da energia elétrica e combater o seu desperdício. As ações do Procel contribuem para o aumento da eficiência dos bens e serviços, para o desenvolvimento de hábitos e conhecimentos sobre o consumo eficiente da energia e, além disso, postergam os investimentos no setor elétrico, mitigando, assim, os impactos ambientais e colaborando para um Brasil mais sustentável.

Para compras internacionais, considere o selo *Energy Star*. Trata-se de um programa voluntário de certificação criado em 1992 pela Agência de Proteção Ambiental (EPA) dos Estados Unidos. O programa tem o objetivo de identificar e promover produtos energeticamente eficientes, promovendo a economia de custos na conta de luz e a redução da emissão de gases causadores do efeito estufa.

Observe os seus aparelhos eletrônicos. Eles têm esses selos? Reflita sobre sua resposta.

5. Fique de olho na sua geladeira!

Para economizar energia elétrica com a geladeira, faça ações simples. Tais como:

- Não encoste a geladeira nas paredes;
- Mantenha o congelador bem fechado;
- As saídas de ar do congelador devem estar livres, para que a circulação de ar seja fluída;
- Verifique as borrachas de vedação periodicamente e limpe-as com um pano úmido;
- Importante regular a intensidade da refrigeração de acordo com a necessidade, levando em consideração os períodos do ano.

6. Fique atento ao tempo que gasta no banho

O chuveiro elétrico costuma ser um dos maiores consumidores de energia elétrica das residências. Sendo assim, é importante reduzir o tempo de banho para contribuir com a economia de sua conta de luz e reduzir o consumo de água.

Adicionalmente, busque alternativas, como o chuveiro a gás ou os movidos a energia solar.

7. Energia solar: conheça e invista nesta economia com sustentabilidade

De acordo com a *Gazeta do Povo* (2021), o processo de geração de eletricidade por meio de painéis solares, ao contrário dos combustíveis fósseis, não emite dióxido de enxofre, óxidos de nitrogênio e dióxido de carbono, poluentes com efeitos nocivos para a saúde humana e que contribuem negativamente para as mudanças climáticas.

Pode-se afirmar que é uma unanimidade a energia solar como alternativa à energia elétrica. Além de proporcionar economia com a conta de luz, ela contribui de forma sustentável para o meio ambiente.

Complementarmente, a *Gazeta do Povo* (2021) afirma que,

> nas residências, a instalação de um sistema solar garante autonomia energética, redução de até 95% na conta de luz e uma fonte ilimitada de energia por até 30 anos, com retorno financeiro e baixa necessidade de manutenção. O investimento inicial em um sistema solar é recuperado em até quatro anos, em média.

Siga as recomendações e orientações, reduza seus custos com a conta de luz e contribua para a sociedade e o meio ambiente.

9.7 Bandeiras tarifárias: o que são e como impactam sua conta de luz

O sistema de bandeiras tarifárias foi criado pela Aneel (Agência Nacional de Energia Elétrica) e sinaliza o custo real da energia elétrica gerada, incentivando o uso consciente.

O sistema de bandeiras é composto das cores verde, amarela, vermelha (sendo patamares I e II) e preta (escassez hídrica). Elas indicam se o custo da energia elétrica será maior ou menor em função das condições de geração.

A figura a seguir apresenta o significado de cada cor e a relação de custo existente; vigência ano de 2021.

Entenda as bandeiras tarifárias — Foto: Economia G1

Fonte: *G1*.

Complementarmente, o site da Aneel apresenta respostas a dúvidas frequentes dos consumidores. A seguir estão listadas as principais.

a. Qual a diferença entre as Bandeiras Tarifárias e as tarifas de energia elétrica?

Aneel: As tarifas representam a maior parte da conta de energia dos consumidores e dão cobertura para os custos envolvidos na geração, transmissão e distribuição da energia elétrica, além dos encargos setoriais.

As Bandeiras Tarifárias, por sua vez, refletem os custos variáveis da geração de energia elétrica. Dependendo das usinas utilizadas para gerar a energia, esses custos podem ser maiores ou menores. Antes das Bandeiras, essas variações de custos só eram repassadas no reajuste seguinte, o que poderia ocorrer até um ano depois. Com as Bandeiras, a conta de energia passou a ser mais transparente, e o consumidor tem a informação quando esses custos acontecem. Em resumo, as Bandeiras refletem a variação do custo da geração de energia, quando ela acontece.

b. Por que saber a cor da Bandeira é importante para o consumidor?

Aneel: Com as Bandeiras Tarifárias, o consumidor ganha um papel mais ativo na definição de sua conta de energia. Ao saber, por exemplo, que a Bandeira está vermelha, o consumidor pode adaptar seu consumo e diminuir o valor da conta (ou, pelo menos, impedir que aumente). Pela regra anterior, que previa o repasse somente nos reajustes tarifários anuais, o consumidor não tinha a informação de que a energia estava cara naquele momento e, portanto, não tinha um sinal para reagir a um preço mais alto.

c. Se o consumidor reduzir seu consumo, a sua Bandeira muda de cor?

Aneel: Não de forma direta. A cor da Bandeira é definida e aplicada a todos os consumidores do Sistema Interligado Nacional (SIN) – regiões Sul, Sudeste, Centro-Oeste, Nordeste e parte do Norte –, ainda que eles tenham reduzido seu consumo. Mas a redução do consumo pode diminuir o valor da conta ou, pelo menos, impedir que ele aumente. Além disso, quando os consumidores adaptam seu consumo ao sinal de preço, estão contribuindo para reduzir os custos de geração de energia do sistema. O comportamento consciente do consumidor contribui para o melhor uso dos recursos energéticos.

d. Quando e como as Bandeiras mudam de cor?

Aneel: Periodicamente, as condições de operação do sistema de geração de energia elétrica são reavaliadas pelo Operador Nacional do Sistema Elétrico (ONS), que define a melhor estratégia de geração de energia para atendimento da demanda. Com base nessa avaliação, define-se a previsão de geração hidráulica e térmica, além do preço de liquidação da energia no mercado de curto prazo.

e. As Bandeiras se aplicam a todas as classes de consumidores?

Aneel: As Bandeiras Tarifárias são faturadas por meio das contas de energia, portanto, todos os consumidores cativos das distribuidoras pagam o mesmo valor, proporcional ao seu consumo, independentemente de sua classe de consumo. As únicas exceções são os consumidores dos sistemas isolados, que passarão a pagar depois da interligação. Cabe ressaltar que as Bandeiras Tarifárias têm descontos para os consumidores residenciais de baixa renda, beneficiários da Tarifa Social e para as atividades de irrigação e aquicultura em horário reservado.

Agora que conhece as bandeiras tarifárias, utilize a energia elétrica ainda mais conscientemente.

9.8 Como economizar água na prática

Você pode fazer pequenas ações em seu dia a dia para economizar água e contribuir para o meio ambiente e a sociedade. Programe-se para implementá-las. Envolva seus familiares e vizinhos nessa ação em prol da vida!

9.8.1 Ações que só dependem de você

a. Cuide de suas torneiras e encanamentos

Verifique se suas torneiras estão "pingando". Feche-as corretamente. Faça a mesma verificação em sua encanação. É importante realizar as manutenções necessárias. Se a sua torneira estiver frouxa, é fundamental trocar a "borracha", também chamada de "bucha" ou "courinho"; isso representa economia imediata.

Segundo o portal *G1* (2014) e de acordo com a Companhia de Saneamento Básico do Estado de São Paulo (Sabesp), um filete de água de dois milímetros vazando da torneira resulta em desperdiço de quatro mil litros por mês. Um filete de quatro milímetros triplica o volume de perda, e isso sai do seu bolso.

b. Feche a torneira ao escovar os dentes e ao se barbear

É fundamental fechar a torneira quando se escova os dentes e quando se barbeia. Abra a torneira apenas quando for se enxaguar. De acordo com o *Portal Tua Casa* (2021), mantendo a torneira fechada, é possível economizar 11,5 litros (numa casa) e 79 litros (em apartamentos) enquanto se escova os dentes, e nove litros (numa casa) e 79 litros (em apartamentos) ao fazer a barba.

c. Guarde a água da chuva e substitua o uso da mangueira

Utilize recipientes como baldes, bacias e tonéis para guardar a água da chuva. Ela pode ser utilizada para lavar quintais, regar plantas, lavar o carro, entre outras utilidades. Dessa forma, é possível evitar a utilização da mangueira para essas ações.

d. Fique atento à sua caixa-d'água

É essencial estar atento para que a caixa-d'água não transborde. Mantenha-a sempre fechada; essa medida é fundamental para evitar a evaporação mais acelerada e o depósito de dejetos.

Adicionalmente, faça as manutenções necessárias.

e. Reutilize a água da máquina de lavar

Hoje, como você lava o quintal e as partes externas de sua casa? Utilize a água de sua máquina de lavar. Guarde-a num recipiente após a lavagem das roupas.

Já que estamos falando da máquina de lavar, é importante determinar dias para a lavagem de roupas. Assim, você tem ciência e acumula, separa em cores de acordo com sua preferência e lava tudo num único dia.

f. Cubra sua piscina e trate a água dela

Evite trocar a água da piscina. Aprenda como limpá-la corretamente para evitar o descarte de todo aquele volume de água. Uma dica para preservar a água é cobrir a piscina com uma lona: além de manter a água limpa, evita a evaporação, que se traduz em perda (e mais gasto). Faça a manutenção da piscina adequadamente e, para isso, fale com um especialista.

g. Tome banhos mais curtos

Tenho ciência de que o momento do banho, muitas vezes, também é um momento de relaxamento. Ainda assim, é importante você estar atento. Será que é necessário um banho de quarenta minutos, ou ainda que sejam trinta minutos?

De acordo com o *Portal Saneamento em Pauta* (2019), um banho de quinze minutos pode gastar até 135 litros de água. Se você reduzir o tempo para 5 minutos, apenas 45 litros serão utilizados. Então, tome banhos mais curtos, economize água e tenha mais tempo para você – e mais dinheiro no bolso.

9.8.2 Ações que envolvem pequenos investimentos

a. Utilize acessórios para ajudar na economia

Existem algumas peças que são comercializadas em depósitos, lojas de materiais de construção e de utensílios domésticos, peças que podem contribuir para a economia de água com um pequeno investimento. Podemos citar o redutor de pressão de água da torneira e do chuveiro, o regador, o esguicho-revólver (para mangueiras), entre outros. De maneira geral, você poderá colocar esses utensílios em suas torneiras ou mangueiras para reduzir o volume da pressão da água e, assim, economizar no uso.

b. Invista no "telhado verde"

A principal função do "telhado verde" é a captação da água da chuva.

De acordo com o *Portal Tua Casa* (2021), o telhado verde tem sete camadas para compor a estrutura. Cada uma delas tem uma função e resulta na harmonia para a captação da água da chuva e do calor do sol no sistema como um todo.

O projeto utiliza como base o próprio telhado ou lajota para aplicação das camadas. Inicialmente, uma membrana à prova d'água é colocada para que toda a região do teto fique protegida contra a umidade. Em seguida, é aplicada uma barreira contra as raízes das plantas, que naturalmente vão crescer. Acima da placa, é a vez da camada do sistema de drenagem da água. Em cima dela, o tecido permeável permitirá a colocação da terra, que absorverá a água da chuva que cairá na primeira camada, a da planta ou grama.

Recomenda-se buscar um arquiteto ou especialista para instalação do telhado verde. O profissional entenderá qual é o melhor processo para você de acordo com o tipo de telhado.

c. Utilize *sprinklers* para o jardim

Em resumo, o *sprinkler* é um sistema cronometrado de bombeamento de água. Ele pode ser utilizado para irrigação e é muito comum como sistema de combate a incêndios. Como eles têm cronômetro, você poderá programar a forma necessária de irrigação. Complementarmente, eles disparam apenas a água necessária, o que contribui com a economia.

d. Utilize descargas de duplo acionamento

A descarga que tem a válvula de *dual flush* tem duas opções de jatos de água, um mais fraco e outro mais forte, respectivamente, para quando alguém fizer "número 1" ou "número 2". Você sabia que, segundo o *Portal Tua Casa* (2021), essa tecnologia é capaz de economizar água em até 50% do volume tradicional? Como opção, também existe a possibilidade de regular a válvula de descarga atual para reduzir a pressão da água e, com isso, o consumo.

Essas são, portanto, apenas algumas ações simples para você economizar água e fazer a sua parte em contribuição ao meio ambiente.

9.9 Economize com o gás de cozinha

Economizar gás de cozinha é fundamental para otimizar seu planejamento financeiro. Segundo o Portal *G1* (2021), tendo como referência o mês de setembro 2021, o gás de cozinha de treze quilos chega a custar R$ 135,00 (cento e trinta e cinco reais).

Você sabia que, em dezembro de 2001, o preço médio era de R$ 18,69 (dezoito reais e sessenta e nove centavos)? Portanto, de dezembro de 2001 a setembro de 2021 houve aumento de um pouco mais de 622%!

Veja a seguir, no **Gráfico 3**, a evolução do preço médio do gás de cozinha.

Gráfico 3 – Evolução do preço do gás de cozinha de 13 quilos

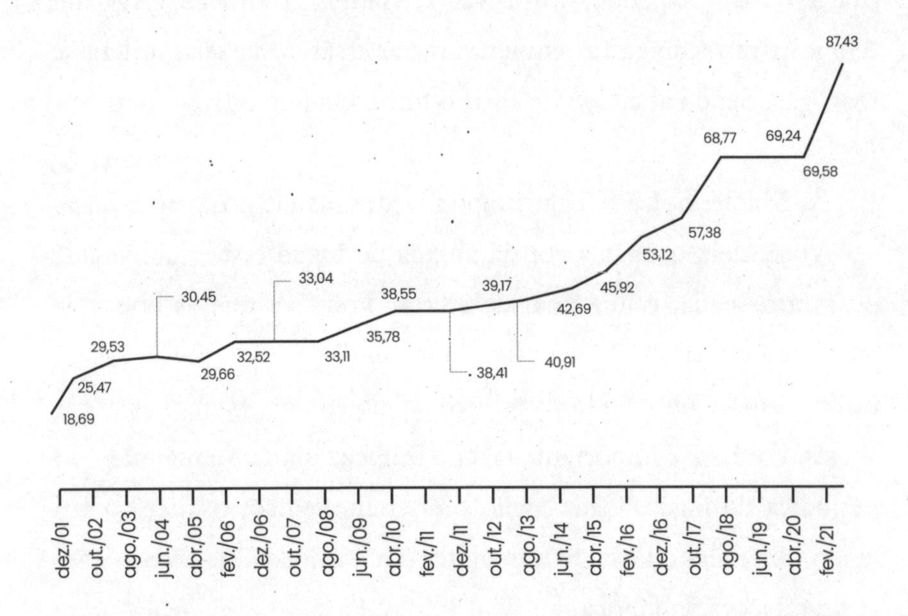

Fonte: Dados extraídos do Portal *UOL – ANP* (Agência Nacional do Petróleo, Gás Natural e Biocombustíveis).

Agora veja algumas recomendações para economizar gás de cozinha.

1. Faça planejamento de suas refeições

Para reduzir o tempo de uso do gás de cozinha, faça planejamento semanal ou mensal de suas refeições. Assim, além de contribuir para a redução de custo, haja vista que saberá exatamente o que preparar, terá um cardápio para você e sua família.

2. Evite abrir o forno durante o uso

Quando se está fazendo um bolo, assado ou salgado, geralmente queremos saber como está o crescimento da massa. Para isso, acendemos a luz e verificamos, em vez de abrir o forno. Ao abrir o forno, o ar quente é expelido, e, quando fechamos novamente, leva um tempo para recuperar a temperatura necessária, ou seja, utiliza-se mais gás. Sendo assim, evite abrir o forno quando estiver em uso.

3. Mantenha o seu fogão limpo e faça as manutenções necessárias

Você sabia que, se a cor da chama do fogão estiver alaranjada ou avermelhada, é um sinal de alerta? Pode ser que as bocas de seu fogão estejam com mau funcionamento ou sujas; sendo assim, utilizará mais gás devido ao esforço adicional para manter as bocas acesas. Por isso, é importante fazer a limpeza diária e a manutenção periódica do fogão. Cada fogão é diferente, então, conheça o seu lendo o manual e fazendo a manutenção adequada, de acordo com as orientações do fabricante.

4. Evite deixar o fogão próximo a passagens de vento

O vento diminui a potência da chama, e isso faz com que utilize mais gás. Sendo assim, evite deixar o fogão próximo às janelas ou passagens de vento. Se não for possível, feche-as quando o fogão estiver em uso.

5. Cozinhe mais rápido tampando as panelas

Ao tampar as panelas, você concentra mais o calor, e, com isso, os alimentos são cozidos mais rapidamente do que se estivessem com a tampa aberta. Adicionalmente, para acelerar o processo, corte os alimentos em pedaços menores; quanto menor o alimento, menos tempo ele levará para ser cozido.

Complementarmente, você poderá fazer mais uso da panela de pressão, pois ela cozinha os alimentos em menos tempo.

É importante, além de ler estas orientações, colocá-las em prática!

9.10 Saiba como economizar nas compras do mercado

Fazer compras no mercado é algo recorrente, e para economizar é fundamental seguir premissas importantes.

1. Sempre tenha sua lista de compras em mãos

É preciso listar todos os produtos que se pretende adquirir no mercado, inclusive chocolates, bolachas, iogurtes etc. Geralmente esses itens são negligenciados. Assim, o foco é direcionado para o que é realmente necessário. Além de listar o que precisa ser adquirido, é essencial indicar a quantidade desejada. E tão importante quanto listar e indicar as quantidades é não se desviar da lista!

2. Defina o valor que pretende gastar

É crucial definir o valor que se pretende gastar no mercado em linha com o planejamento financeiro definido. Assim, evitam-se gastos adicionais e o risco de deixar o orçamento no vermelho. Você poderá dizer que os preços mudam constantemente, entre outros fatores; sendo assim, se não puder definir o valor exato, determine o limite que pretende gastar e não o ultrapasse.

3. Pesquise os preços antes de comprar

Geralmente temos um mercado de preferência, às vezes no bairro. De todo modo, é essencial pesquisar os preços em mais de um estabelecimento. Pode fazer sentido você fazer parte da compra em um local e outra parte ou certos itens em outro. Já pensou em comprar alguns produtos recorrentes no atacado?

Outra dica importante é identificar o melhor dia da semana para fazer a compra. Alguns supermercados oferecem descontos em dias específicos e para produtos específicos.

4. Não vá ao mercado com fome

Quando vamos ao mercado com fome, a tendência é adquirir mais itens do que precisamos, pois queremos satisfazer, além das necessidades de casa, a "fome daquele momento". Assim sendo, faça uma refeição reforçada antes de ir ao mercado e siga a lista preparada previamente.

5. Não vá ao mercado com pressa

Quando estamos com pressa, queremos concluir logo uma atividade e geralmente negligenciamos aspectos importantes, tais como a pesquisa de preços. Pode ocorrer ainda de esquecermos algum item que precisávamos comprar e, posteriormente, ter de comprar em outro local onde o preço estará mais alto.

Então, planeje-se para ir ao mercado periodicamente. Marque em sua agenda e dedique tempo exclusivo para esse momento.

6. Evite levar crianças junto

As crianças geralmente são atraídas por produtos que não estão em sua lista e pedem para você comprá-los. E o que você faz na maioria das vezes? Compra! Como mãe e pai, você sabe o que é melhor para o seu filho, mas, para evitar esta situação, é importante não levar as crianças junto, pois nem todas as vezes você poderá ter o recurso necessário para satisfazer o desejo delas.

Pode ocorrer de você não dispor de alternativas, não tendo com quem deixar a criança. Nesse caso, é importante alimentá-la antes e conversar com ela – desenvolver o planejamento financeiro desde cedo! Se a criança já tiver referência de leitura e valores, você poderá fazer uma dinâmica para ela ajudar nas compras: identificando o item e buscando o de melhor preço.

7. Verifique os prazos de validade

Antes de comprar os produtos, é crucial verificar o prazo de validade, pois um produto pode ficar inutilizado antes do prazo em que você pretende utilizá-lo. Então, confira as embalagens antes de colocar no carrinho de compras.

8. Faça seu plano de compras

De quanto em quanto tempo você vai ao mercado? Você geralmente compra itens para complementar a lista ou porque estão faltando? Você descarta muitos produtos devido ao prazo de validade ou por ter "esquecido" no armário? Essas são reflexões importantes para você fazer seu plano de compras, ou seja, determinar a periodicidade em que pretende ir ao mercado. Isso contribui para seu planejamento financeiro e pessoal; uma vez definido, anote em sua agenda e siga como previsto. Se não sabe qual é a melhor periodicidade para você, faça alguns testes: semanal, quinzenal, mensal, e defina o "seu jeito" ou perfil.

Siga essas recomendações e faça suas compras de forma planejada, seguindo o planejamento financeiro pessoal.

9.11 Cartão de crédito: planeje para usá-lo, e não para ser usado por ele

Conheça as tarifas, formas de pagamentos, taxas de juros de mercado e outras informações essenciais para utilização dessa ferramenta. Se utilizado de forma consciente e planejada, o cartão de crédito é uma ferramenta importante no planejamento financeiro. É possível antecipar o consumo planejando os custos para os próximos meses.

É fundamental que esses custos estejam previstos no planejamento financeiro para que o uso do cartão "não saia do controle". Assim sendo, não considere o cartão como "complemento de seu salário", pois ele não é isso.

Hoje, como você utiliza seu cartão de crédito? De forma consciente e planejada ou por impulso? Reflita sobre sua resposta e como as suas ações impactam sua vida financeira.

Para uso do cartão, é essencial conhecer detalhes sobre a sua funcionalidade. O cartão de crédito é um meio de pagamento. Segundo o Banco Central do Brasil (2021), o cartão de crédito exerce dupla função: instrumento de pagamento e instrumento de crédito pós-pago, e é emitido por instituição financeira; todos os serviços associados ao cartão de crédito, inclusive as tarifas, são regulamentados e fiscalizados pelo Banco Central.

Para aprovação e emissão do cartão de crédito, as instituições financeiras realizam análise de crédito do indivíduo. De acordo com o histórico da vida financeira, o cartão pode ser aprovado ou não, e, adicionalmente, com base nesses dados, é definido o limite financeiro para uso do cartão. A partir daí, a data de pagamento da fatura é definida. Nessa data, a pessoa deve fazer o pagamento total, para não haver incidência de juros. Caso o pagamento não seja realizado ou, ainda, seja feito, mas de forma parcial, haverá incidência de juros (que, de modo geral, são sempre altos).

Antes de falarmos dos juros, é importante destacar que o limite de crédito não é estático, pois pode ser alterado de acordo com o uso e o histórico da vida financeira do indivíduo, que compreende, inclusive, a pontualidade no pagamento da fatura. Ressalto, ainda, que a instituição financeira não é obrigada a disponibilizá-lo. A concessão dependerá da política de crédito e está associada, entre outros fatores, ao histórico financeiro do cliente e às premissas de risco definidas pela instituição.

Você sabia que existem dois tipos de cartão de crédito?

Existe o tipo chamado "básico" e o "diferenciado". Segundo o Banco Central (2021), o cartão de crédito básico é utilizado somente para pagamento de bens e serviços em estabelecimentos credenciados, ao passo que o cartão diferenciado, além de permitir o pagamento de bens e serviços, oferece benefícios adicionais, tais como programas de milhagem, seguro de viagem, desconto na compra de bens e serviços e atendimento personalizado no exterior, entre outros.

É essencial você ter essa informação para quando solicitar seu cartão de crédito no banco. Como o cartão de crédito básico é "básico", o custo da anuidade é menor. Claro que, antes de solicitá-lo, você avaliará se ele atende as suas necessidades. Já que tocamos no assunto de anuidade, vamos tratar das tarifas cobradas no cartão de crédito. Você sabe quais são? Sim, "quais", pois é mais de uma!

9.11.1 Tarifas cobradas no cartão de crédito

É sabido que a cobrança de tarifas e valores depende do relacionamento que cada pessoa tem com a instituição financeira. E, a depender dessa relação, a instituição poderá inclusive se isentar da cobrança. No tocante a isso, independentemente dessa possibilidade, é essencial conhecer as tarifas envolvidas no cartão de crédito.

Está prevista pelo Banco Central a cobrança de até cinco tarifas. São elas:

a. Anuidade: corresponde a um "custo de manutenção". É uma tarifa que subsidia o custo que a instituição financeira tem sobre esse cartão. Ela pode ser parcelada ao longo do ano. Não há valor-limite definido; sendo assim, pode oscilar de acordo com cada instituição financeira. É essencial pesquisar mais de uma instituição antes de definir pela emissão. Ressalto o aspecto "relacionamento cliente e instituição financeira", que pode, de acordo com as regras e políticas definidas pela instituição financeira, isentar o pagamento dessa tarifa.

b. Utilização do cartão de crédito para saques em espécie. No cartão de crédito existe a possibilidade de realização de saques em dinheiro, no Brasil ou exterior. Para isso também há um limite. Se utilizada essa função, será cobrada uma tarifa. Adicionalmente, as instituições financeiras podem cobrar juros e IOF (Imposto sobre Operações Financeiras) se a retirada do dinheiro ocorrer em outro país. Sendo assim, nada melhor que utilizar "seu próprio dinheiro" do que o cartão para essa finalidade. Afinal, você colocou tudo em seu planejamento financeiro. Certo?

c. Avaliação emergencial de crédito. É uma tarifa cobrada quando numa compra é excedido o valor do limite disponível do cartão de crédito. Bem, em se tratando de planejamento financeiro, essa situação não deveria ocorrer, haja vista que o gasto deveria estar "planejado", evitando a necessidade de "estourar o limite". É sabido que situações inesperadas ocorrem, e é por isso que recomendamos a reserva de emergência.

d. Utilização do cartão de crédito para pagamento de contas. A tarifa é cobrada quando o cartão de crédito é utilizado para pagamento de contas, tais como boletos, contas de água, luz etc. Complementarmente à tarifa há a incidência do IOF (Imposto sobre Operações Financeiras).

e. Solicitação de segunda via do cartão de crédito. A tarifa é cobrada quando o indivíduo solicita a emissão de um novo cartão, para reposição. Entretanto, se o motivo da reposição for oriundo de algum bloqueio ou falha por parte da instituição financeira ou administradora do cartão, não haverá custos (a não ser que o indivíduo esteja envolvido, é claro).

Caso o cartão de crédito inclua serviços diferenciados, tais como programa de milhagens ou outros, é possível a cobrança de outras tarifas.

Para você conhecer todas as tarifas, é importante solicitar o contrato no momento da solicitação de seu cartão de crédito. Nele deverão constar todas as tarifas descritas juntamente com o Custo Efetivo Total (CET).

9.11.2 Extrato e fatura mensal

O extrato e a fatura mensal são documentos importantes para acompanhamento e verificação das compras efetuadas. De acordo com o Banco Central (2021), as instituições emissoras de cartão de crédito são obrigadas a fornecer esses documentos aos clientes com, no mínimo, as informações sobre:

- Limite de crédito total e limites individuais para cada tipo de operação de crédito passível de contratação;
- Gastos realizados com o cartão (discriminados por evento) e gastos parcelados;
- Identificação das operações de crédito contratadas e respectivos valores;
- Valores relativos aos encargos cobrados, informados separadamente de acordo com os tipos de operações realizadas por meio do cartão;
- Valor dos encargos a serem cobrados no mês seguinte, caso o cliente opte pelo pagamento mínimo da fatura (percentual deve ser acordado entre este e a instituição financeira);

- Custo Efetivo Total (CET), para o próximo período, das operações de crédito passíveis de contratação;
- Taxas dos encargos de atraso no pagamento ou na liquidação de obrigações.

Dado o exposto, é fundamental ler a fatura com atenção e atentar a todos os aspectos apresentados.

9.11.3 Como funcionam as compras parceladas

Ainda de acordo com o Banco Central (2021), há duas modalidades que a instituição financeira poderá utilizar para fazer a cobrança das compras parceladas. São elas:

a. O limite de crédito é reduzido de acordo com o valor da compra.

Para fins de exemplificação, suponha que uma pessoa tem um limite no cartão de crédito de R$ 1.000,00 e realiza uma compra no valor de R$ 200,00, sendo feita em duas parcelas de R$ 100,00. Como o valor da compra foi de R$ 200,00, o limite disponível no cartão de crédito passará a ser de R$ 800,00 (R$ 1.000,00 – R$ 200,00). No mês seguinte, quando a pessoa fizer o pagamento total da fatura, ou seja, dos R$ 100,00 referentes à primeira parcela da compra, esse valor, uma vez que foi pago, será liberado novamente no limite. Dessa forma, o limite disponível passará a ser R$ 900,00.

b. O limite de crédito é reduzido de acordo com o valor da parcela.

Considerando o exemplo anterior, R$ 1.000,00 de limite e compra de R$ 200,00 parcelada em duas vezes. Após a realização da compra, o limite de crédito disponível será de R$ 900,00, uma vez que foi abatido apenas o valor da parcela, de R$ 100,00.

No contrato do cartão de crédito e na fatura, é exposta a modalidade adotada pela instituição financeira. É essencial conhecer para poder administrar.

9.11.4 Formas de pagamento da fatura

a. Pagamento integral

Esse é o método mais recomendado, haja vista que não há incidência de juros ou encargos financeiros. Trata-se do pagamento do valor integral da fatura referente ao mês. O planejamento financeiro é essencial para que você preveja esse custo e, no referido mês, tenha o valor integral para pagamento. Assim, evitará outros métodos de pagamento mais onerosos.

b. Pagamento do valor mínimo

Utilizar esse método compromete seu planejamento financeiro.

De acordo com o Banco Central (2021), não existe mais o pagamento mínimo obrigatório de 15% do valor da fatura. Assim sendo, cada instituição financeira poderá definir com os clientes o percentual de pagamento mínimo mensal, em função do risco da operação, do perfil do cliente ou do tipo de produto, além da política de crédito adotada pela instituição.

Se o pagamento do mínimo é realizado, o valor restante é distribuído na próxima parcela ou nas parcelas seguintes, de acordo com a política da instituição financeira. Para isso são cobrados juros e encargos financeiros.

Utilizando o planejamento financeiro como ferramenta em suas finanças, esse cenário é mitigado, haja vista que todas as compras são planejadas de acordo com a capacidade de poupança.

c. Pagamento parcelado – crédito rotativo

De acordo com o Banco Central (2021), o crédito rotativo do cartão de crédito é uma modalidade de crédito para financiamento da fatura de cartão de crédito, sem data e parcelas definidas para pagamento pelo cliente, concedido quando há pagamento inferior ao valor total da fatura, mas superior ao mínimo mensal convencionado. A utilização do crédito rotativo sujeita o titular do cartão ao pagamento de juros e demais encargos. Porém, o prazo máximo de utilização de crédito rotativo é de cerca de trinta dias.

Ressalta-se que o prazo de trinta dias do rotativo está definido em legislação. Segundo o Banco Central (2021), desde 3 de abril de 2017, com a entrada em vigor da Resolução 4.549, o saldo devedor da fatura de cartão de crédito, quando não pago integralmente até o vencimento, somente pode ser mantido em crédito rotativo até o vencimento da fatura subsequente.

Assim sendo, e de acordo com o Banco Central (2021), o pagamento da fatura, na qual constará o valor remanescente do crédito rotativo ainda não liquidado, acrescido dos juros do período anterior, poderá ser feito com recursos do próprio cliente ou com recursos obtidos pelo cliente na própria instituição por meio de operação de crédito em outra modalidade. As instituições, em geral, oferecem a modalidade de "parcelamento de fatura". Mas o cliente pode obter crédito em outra instituição para liquidar a sua dívida.

Nesse sentido, caso utilize essa modalidade, é essencial pesquisar a linha de crédito mais adequada, considerando prazo, taxas e o CET (Custo Efetivo Total). Adicionalmente, é essencial considerar a capacidade de poupança existente para ter certeza de que o crédito obtido não comprometerá seu planejamento financeiro.

9.11.5 Perguntas e respostas importantes sobre o cartão de crédito

Há outros aspectos do cartão de crédito essenciais para conhecimento público, haja vista que as decisões são tomadas com base em informações. A seguir, apresento perguntas e respostas importantes para o seu conhecimento e a tomada de decisões no âmbito do planejamento financeiro. Todas essas informações foram extraídas do site do Banco Central[6].

a. No caso do crédito rotativo, se o cliente realizar novas compras no mês seguinte, como fica a sua situação?

Os valores relativos às novas compras de cada período poderão ser financiados por meio de novo crédito rotativo até o vencimento da fatura subsequente, em novo período de trinta dias.

b. O que acontece se o cliente não pagar o valor do saldo devedor da fatura que já tiver sido financiada por trinta dias no crédito rotativo ou não aceitar o financiamento proposto pela instituição financeira?

---

6. Fonte: Banco Central. Disponível em: https://economia.UOL.com.br/noticias/redacao/2019/12/27/cartao-de- credito-como-funciona-vantagens-riscos.htm>. Acesso em: set. 2021.

Se não houver o pagamento total do saldo devedor da fatura que já tiver sido financiada por trinta dias no crédito rotativo, ou se ele não aceitar nenhuma forma de parcelamento do seu pagamento, estará configurada a situação de inadimplência do cliente. Nesse caso, poderão ser aplicados os procedimentos previstos no contrato para situações de inadimplemento.

c. O que acontece quando o cliente fica em situação inadimplente?

Podem ser cobrados os seguintes encargos, além de ele estar sujeito ao bloqueio do uso do cartão:

- Juros remuneratórios, por dia de atraso sobre a parcela vencida ou sobre o saldo devedor não liquidado;
- Multa;
- Juros de mora.

Em relação aos juros remuneratórios, somente podem ser cobrados os juros acordados em contrato, e a taxa praticada deve ser:

- Para os valores associados a operações de parcelamento do saldo devedor da fatura contratadas após o cliente permanecer trinta dias no rotativo: a taxa da respectiva operação de parcelamento;
- Para os demais valores em atraso: a taxa de juros da modalidade de crédito rotativo.

d. Como fica o montante a ser pago nas faturas subsequentes, caso o ciente tenha parcelado o saldo devedor de crédito rotativo?

O montante a ser pago obrigatoriamente a cada mês será composto da soma dos seguintes valores:

- saldo do crédito rotativo acrescido dos respectivos juros incidentes no período;
- prestação ou prestações resultantes de parcelamentos do saldo devedor de períodos anteriores realizados após trinta dias de financiamento na modalidade de crédito rotativo;
- valor correspondente à aplicação do percentual, definido entre as partes, de pagamento mínimo sobre as compras e dos demais lançamentos realizados no período.

Por fim, tendo como base as informações apresentadas, se for utilizar o cartão de crédito como ferramenta complementar para suas conquistas no planejamento financeiro, pague a fatura no valor integral.

9.11.6 Conheça as taxas de juros do cartão de crédito

Certamente você ouviu muitas vezes que as taxas de juros do cartão de crédito são altas; mas quão altas são? Como isso impacta a sua dívida? Essas são informações essenciais para sua reflexão e uso consciente do cartão de crédito em seu planejamento financeiro.

Segundo o Banco Central (2021), considerando dados de referência de novembro de 2021:

- A taxa de juros anual do *crédito rotativo do cartão de crédito* pode oscilar nas instituições financeiras entre 8,94% e 884,45% ao ano! Exemplificando: uma dívida de R$ 1.000,00 no início do ano com uma taxa de 884,45% ao ano, no final do ano será de R$ 9.844,50!
- A taxa de juros anual do *parcelamento do cartão de crédito* entre as instituições financeiras pode oscilar entre 8,94% e 1.450,93% ao ano! Assim, considerando como exemplo uma

dívida no valor de R$ 1.000,00 no início do ano, a uma taxa de 1.450,93% ao ano, no final do ano o valor será de R$ 15.509,30!

Pode-se observar que as taxas de juros são extremamente altas, por isso, é fundamental se planejar, assim como pesquisar muito sobre a instituição financeira da qual pretende ter o seu cartão de crédito.

Faça seu planejamento financeiro pessoal e tenha controle de sua vida financeira.

9.12 Descubra o seu *score* e saiba como aumentar a pontuação

O *score* é uma pontuação que, de modo geral, varia de 0 a 1.000 pontos e indica com efetividade a possibilidade que o indivíduo tem de honrar pagamentos. Quanto maior a pontuação, mais pontualidade nos pagamentos a pessoa tem. Dessa forma, o número do *score* não é estático, pode oscilar de acordo com as condições de pagamento do indivíduo.

Assim sendo, para a concessão de crédito as empresas, bancos, financeiras etc. consideram essa pontuação, entre outras premissas, para aprovar o crédito. Por isso, é importante ter uma pontuação elevada; isso é sinal de "crédito no mercado".

Cada instituição utiliza uma regra própria que, de modo geral, norteia, premissas semelhantes. Como referência para consulta da pontuação individual, vamos utilizar o *Score 2.0 do* Serasa. Esta metodologia reflete o comportamento financeiro do indivíduo com base em empréstimos, financiamentos, compras parceladas, assinatura de serviços e cartão de crédito.

Conheça as classificações de acordo com a pontuação.

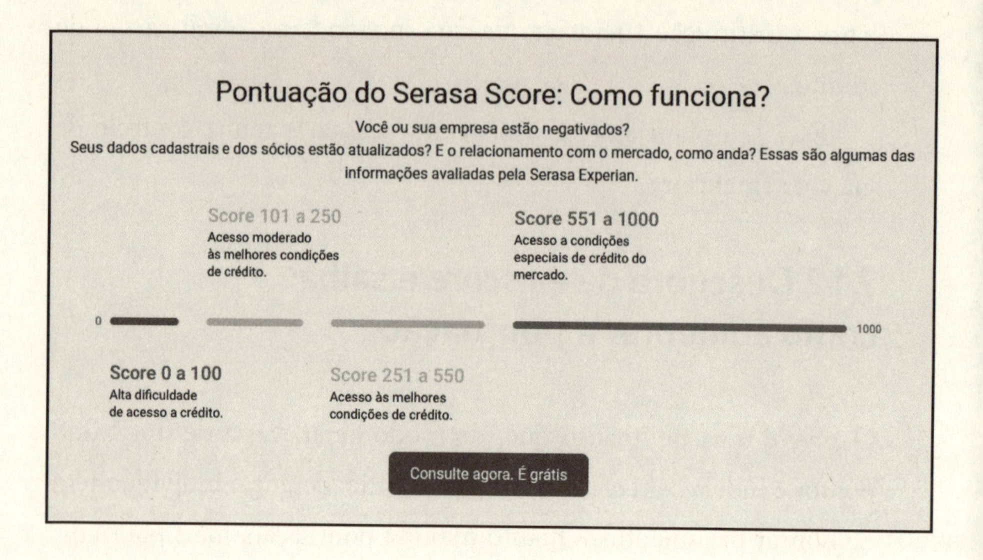

Fonte: Serasa.

Essas classificações estão relacionadas à condição financeira de cada um. Quando a pontuação está elevada, o sinalizador fica verde, apontando condição de pagamento e saúde financeira positiva no que tange aos quesitos avaliados.

Agora, conheça o passo a passo
para saber sua pontuação!

1. Acesse o site do Serasa *Score* e clique em “Entrar”. https://www.serasa.com.br/score/

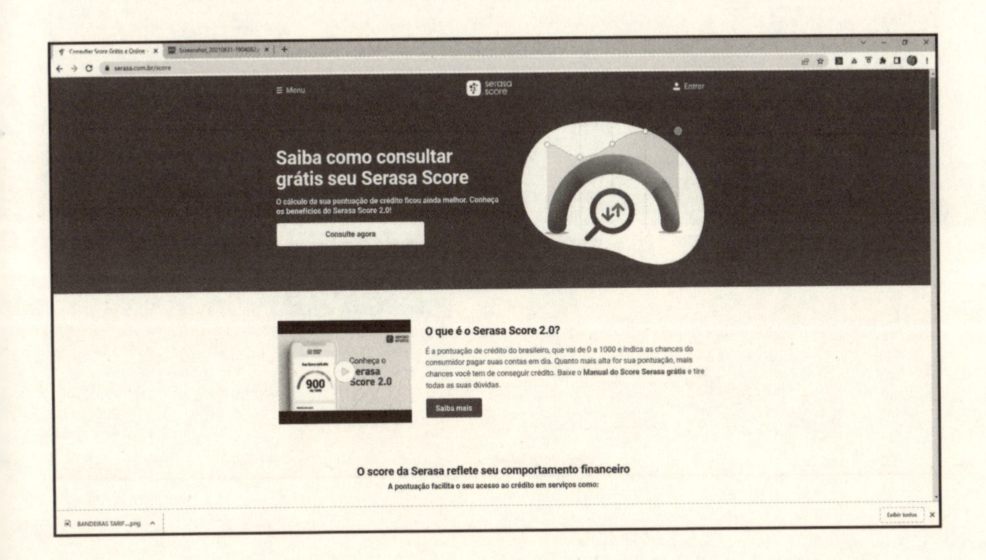

2. Crie a sua conta de acesso.

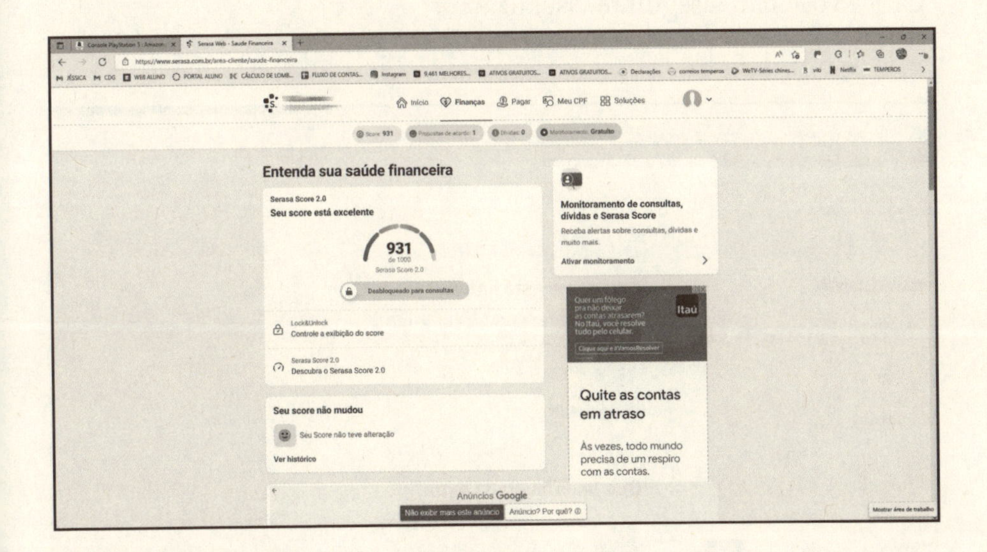

3. Pronto, o seu *score* será exibido!

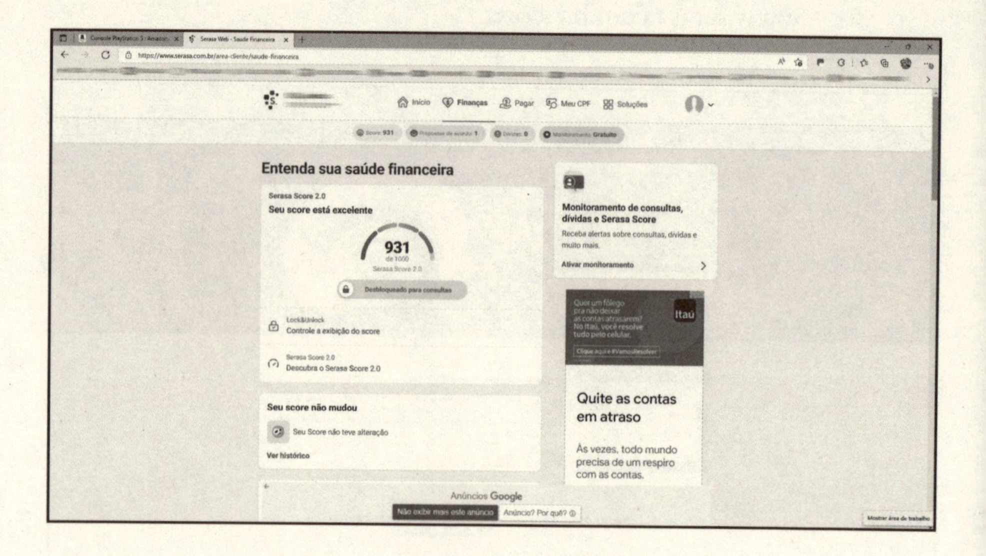

Nessa página é apontado se o seu nome está "limpo", ou seja, se consta no registro do Serasa ou SPC Brasil. Ao clicar em "Ver meu CPF", você tem a seguinte visualização:

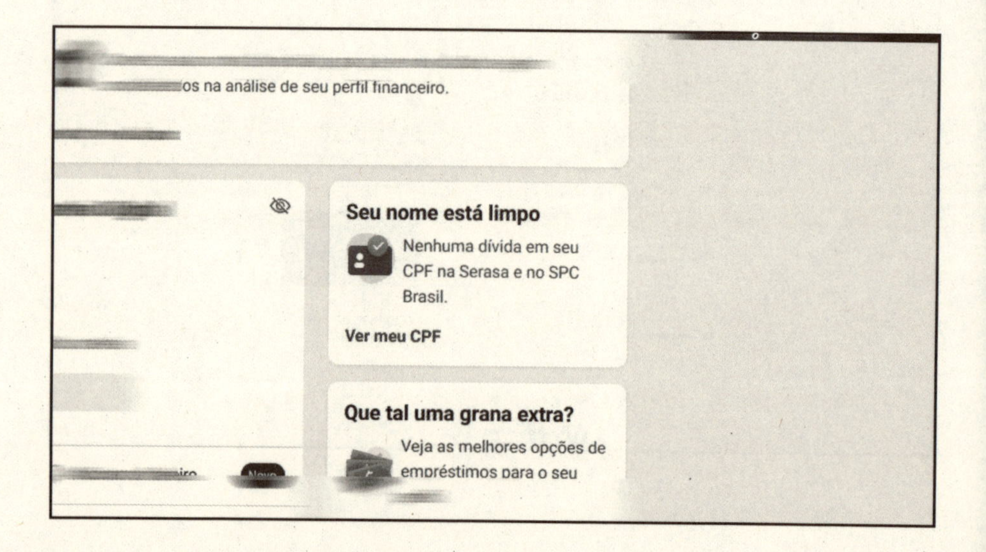

Esse canal apontará as dívidas pendentes, se houver. É importante o acompanhamento para consulta e obtenção de dados para negociações no caso de existência de dívidas.

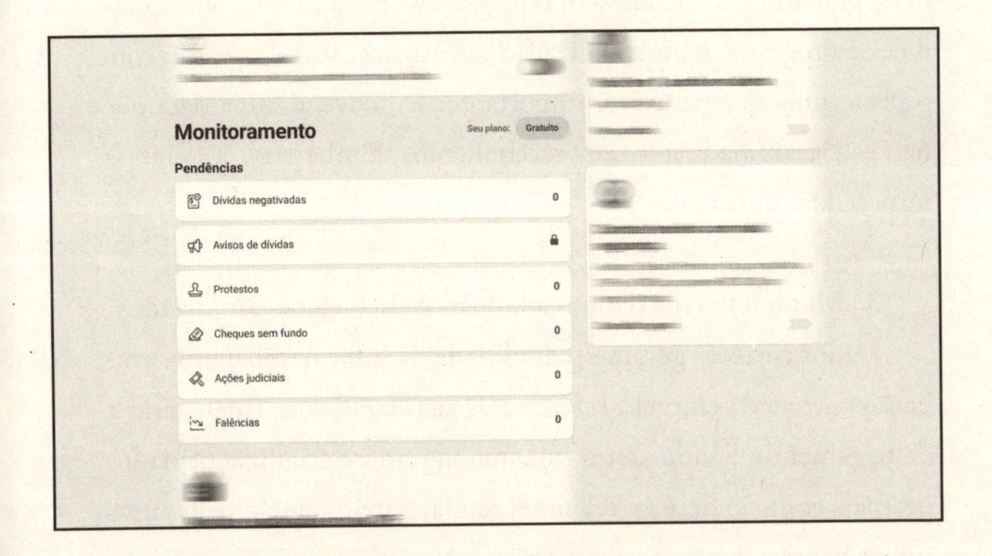

Agora, saiba como aumentar sua pontuação.

1. Negocie e quite suas dívidas em atraso

O primeiro passo para aumentar o *score* é não ser inadimplente. Sendo assim, se tiver dívidas, siga o Planejamento Financeiro proposto no livro para negociar e quitá-las, de acordo com a sua capacidade financeira. Se não tem dívidas em atraso, ótimo! É importante manter esse comportamento, e, para isso, o planejamento financeiro é essencial.

2. Pague suas contas em dia

O *score* analisa a pontualidade nos pagamentos. Assim, é fundamental pagar as contas em dia, pois atrasos, mesmo de poucos dias, podem influenciar sua pontuação. Por isso, crie a sua agenda e se programe para a realização dos pagamentos de acordo com o planejamento financeiro. Importante: se houve alguma data que não esteja alinhada aos seus recebimentos, alinhe com a empresa fornecedora uma nova data.

3. Mantenha seus dados cadastrais e financeiros atualizados

Dados corretos geram credibilidade da informação e uma avaliação correta da empresa referente às suas condições financeiras e de pagamento. Sendo assim, mantenha sempre atualizados dados pessoais como endereço, telefone, renda, patrimônio, entre outras informações solicitadas pelas empresas com as quais mantém relacionamento.

4. Atualize seus dados no Cadastro Positivo

O Cadastro Positivo apresenta o histórico do comportamento financeiro das pessoas físicas e jurídicas, reunindo informações sobre como quitam as contas e a pontualidade desses pagamentos. Podemos dizer que ele é o currículo financeiro com base em fatos, ou seja, as ações financeiras.

Segundo a Serasa (2021), o Cadastro Positivo já é usado com sucesso em vários países desenvolvidos pelo mundo, tais como Estados Unidos, Inglaterra, China, Canadá, Alemanha, França, Japão e Itália. No Brasil, o Cadastro foi criado em 2011, com o objetivo de ser um banco de dados de bons pagadores.

A Lei Complementar nº 166, de abril de 2009, tornou automática a inclusão de CPFs e CNPJs no banco de dados do Cadastro Positivo.

De acordo com a Serasa (2021), os dados do histórico das pessoas físicas e jurídicas são administrados pelos chamados birôs de crédito, dos quais a Serasa é um deles. O comércio, bancos, lojas e outras instituições financeiras passaram a consultar esses dados para gerar crédito, ceder empréstimos ou fazer negócios.

O Cadastro Positivo apresenta seu histórico, ou seja, todos os registros da sua vida financeira. Isso é bom, pois é como se estivéssemos analisando um "filme" na íntegra. Antes do Cadastro Positivo, as decisões para concessão de crédito eram pautadas, principalmente, no momento atual da pessoa – fazendo uma analogia, era como se fosse uma "foto". Podemos afirmar que uma pessoa endividada hoje não necessariamente significa uma pessoa endividada no futuro, ainda mais com o planejamento financeiro que você vai seguir no livro!

Adicionalmente, segundo a Serasa (2021), o histórico de pagamentos relacionados às contas de consumo de serviços continuados (como água, luz, gás e telefone) também pode ser avaliado pelo mercado para obter uma melhor análise de risco na hora de conceder novos créditos a cadastrados, estender créditos já existentes ou realizar outras transações que impliquem risco financeiro.

Assim sendo, é importante manter seus dados atualizados.

Acesse o *Serasa Cadastro Positivo* no link abaixo

https://www.Serasa.com.br/cadastro-positivo/

Agora, com o planejamento
financeiro do livro, vamos trabalhar para
que tenha um histórico de bom pagador.

9.13 Custo de jazigo e impacto no planejamento financeiro

Tão importante quanto se preparar para o planejamento financeiro em vida é se organizar para o momento da morte. Sim, é isso mesmo!

Há custos para o traslado de um corpo, velório, caixão, jazigo em cemitério, entre outros. Esse é um tema delicado, e geralmente as pessoas estão fragilizadas na hora de tratar dele; isso pode acarretar o fechamento de preços sem a reflexão necessária naquele momento. Por isso, é essencial não negligenciar esse aspecto no planejamento financeiro.

Como mencionado no livro, existem coberturas específicas para esse momento no qual o indivíduo pode se programar em vida. E elas são extremamente importantes.

Assim sendo, o que é um jazigo e quanto custa?

Jazigos são espaços que se adquirem num cemitério para sepultar pessoas. É possível a compra de espaços familiares ou individuais. Em sua maioria, a compra é efetuada por meio de escritura pública, pois as regras de legislação que norteiam essa compra são semelhantes às da compra de um imóvel.

Após a compra, geralmente é pago um valor mensal ou anual, semelhante a um "condomínio", para a manutenção do local no que se refere a limpeza, segurança, organização e administração em geral.

No que se refere ao preço médio, consideram-se como premissa para definição do preço a localização (da cidade e do cemitério), o local do jazigo dentro do cemitério (acesso e visibilidade, entre outros), o tamanho e tipo de aquisição.

De modo geral, são oferecidos dois tipos de plano para compra do jazigo: o perpétuo e o temporário. Em resumo, o jazigo temporário, como o próprio nome expressa, usa a metodologia de um prazo determinado. O jazigo perpétuo, por sua vez, é adquirido para ser próprio do indivíduo. Existem planos que oferecem parcelas mensais para adquiri-los.

Vamos conhecer mais detalhes e impactos de cada tipo de jazigo no planejamento financeiro.

- Jazigo temporário: segundo o portal *Amar Assist* (2021), é mais comum em cemitérios públicos e funciona como um aluguel. O indivíduo paga um preço, que em média pode ser maior que o de uma cremação, e o corpo permanece em uma gaveta por três anos. Após esse período, ocorre a exumação, que é quando a ossada em decomposição é retirada do jazigo e o espaço é liberado para outras famílias. Nesse momento, tem-se uma questão importante: o corpo só pode ser exumado se de fato estiver em plena decomposição. Nem sempre a decomposição plena ocorre nesse período de três anos, o que pode acarretar o pagamento de mais um período de aluguel para o corpo permanecer no jazigo; mais um impacto no planejamento financeiro. Se a pessoa optar por essa modalidade, é essencial que considere essa possibilidade de custo adicional em seu planejamento financeiro. Por fim, quando o corpo estiver preparado para exumação, paga-se uma nova taxa. Reforço que, quando a pessoa opta pelo jazigo temporário, ela tem o custo do jazigo, que é o aluguel, a manutenção anual e o custo da exumação. Concluída a exumação, os restos mortais são destinados para um ossuário ou crematório. Tem-se, assim, outro custo.

- Jazigo perpétuo: como o próprio nome diz, uma vez adquirido nessa modalidade, a pessoa tem a posse do jazigo, como se fosse um imóvel. O custo adicional, como já mencionado, é o de manutenção.

De acordo com o portal *Amor Assist* (2021), o preço de um jazigo temporário é em torno de R$ 5.000,00, e o perpétuo pode variar em média de R$ 10.000,00 a R$ 25.000,00. Na maior parte dos casos, os valores são parcelados.

Cabe uma observação importante: como no jazigo perpétuo a posse é do proprietário, se for feita a exumação, o corpo poderá ficar no mesmo local, evitando assim um novo custo. No que tange à manutenção, o preço médio anual é de R$ 1.500,00.

Outro aspecto importante a se esclarecer é que a diferença entre o jazigo e o túmulo está no tamanho. Enquanto o túmulo é individual e projetado para o sepultamento de um indivíduo por vez, o jazigo pode comportar vários sepultamentos.

Como é de nossa ciência, a morte é uma certeza na vida; assim, é fundamental se preparar financeiramente para ela, haja vista que o momento da ocorrência é incerto.

Como mencionado no livro, é possível contratar planos com antecedência, o que recomendo, pois nesse caso é possível fazer o planejamento do pagamento das parcelas ou do valor à vista. Deixar essas questões para resolver no momento do fato ocorrido pode resultar em mais custos que o necessário.

Adicionalmente, se você contratar um plano, é fundamental verificar se existe algum tipo de carência ou restrição para uso, haja vista que geralmente a morte ocorre como de forma imprevista.

Assim sendo, pode-se adquirir diretamente um "Plano Funerário", que inclui em geral a documentação necessária para o sepultamento, as custas com o traslado do corpo, caixão, velório, cremação, e pode ou não incluir o jazigo. É preciso estar atento a esse aspecto.

Uma vantagem do plano funerário é a possibilidade de que todas as definições (local, tipo de caixão, velório, cemitérios etc.) sejam feitas com antecedência, o que é essencial, haja vista o momento delicado num falecimento. Trata-se, de fato, de um planejamento.

No momento da contratação, é preciso atentar para as diferenças entre o "plano funerário" e o "auxílio-funeral".

O auxílio-funeral é um seguro que concede o direito de reembolso das despesas do sepultamento. Nesse caso, todos os detalhes estão sob a responsabilidade da pessoa que adquiriu o seguro, não sendo prevista a participação direta da seguradora.

Assim sendo, o detentor do seguro precisa comprovar, por meio de notas ficais, todas as despesas, para reembolso posterior. Portanto, no momento do fato, as despesas ocorrem a cargo da própria pessoa. Imagine o impacto desses custos no planejamento financeiro se não tiverem sido previstos.

No plano funerário, por usa vez, a seguradora, uma vez contatada, executa e coordena todos os processos que envolvem o sepultamento. Assim, nesse momento tão delicado, o indivíduo não precisa se preocupar com desembolsos financeiros ou administração do evento.

Para contatar a empresa prestadora desse serviço, além de pesquisar as coberturas, preços e condições, é vital conhecer a reputação: qual é o tempo de mercado, se há reclamações e de qual tipo nos órgãos de defesa do consumidor, entre outras. Estar atento à cobertura é fundamental. Por exemplo, inclui ou não o jazigo? Há algum tipo de carência? Existe alguma restrição? O mesmo se refere aos preços e formas de pagamento. Pesquise ao menos três empresas antes de contratar o serviço.

É importante que você compartilhe estas informações com a família, pois de nada adianta ter um plano e ninguém saber para poder utilizar.

Contratando um serviço sob medida para você e sua família, você mantém seu planejamento financeiro em dia e sua família sem despesas inesperadas.

9.14 Inventário: o que é e como impacta no planejamento financeiro

O inventário consiste no mapeamento de todos os bens e direitos da pessoa falecida, para fins de transmissão. Isso inclui o patrimônio imobilizado (imóveis, veículos etc.) e não imobilizado (investimentos, títulos de direito etc.), dívidas etc., enfim, todos os direitos e obrigações que estavam em nome da pessoa ora falecida.

O processo de inventário pode ser realizado via extrajudicial, em cartório, ou via Poder Judiciário. Em ambos os casos, é necessária a presença de um advogado. No que tange ao modo, pode ocorrer de forma amigável ou litigiosa, a depender dos envolvidos.

Após sessenta dias do falecimento do indivíduo, é necessário iniciar o processo de inventário. De acordo com o *Jusbrasil* (2021), esse momento é chamado de "abertura da sucessão", e, se esse prazo não for cumprido, poderá acarretar multa tributária sobre o patrimônio.

Por isso, é importante ter um planejamento que preveja esse momento e as ações necessárias, para evitar custos imprevistos. Após o falecimento, os entes passam por um período de luto e muitas vezes negligenciam o prazo legal para entrada do processo.

Como exposto, existem dois tipos de inventário. Seguem detalhes importantes a respeito do processo e da documentação necessária.

9.14.1 Tipos de inventário

a. Inventário judicial

O inventário judicial é realizado por meio de ação judicial, e geralmente qualquer pessoa legitimamente interessada pode dar entrada no processo. Ainda, segundo o *Jusbrasil* (2021), em determinados casos o Ministério Público ou mesmo devedores do falecido poderão dar início à ação.

Para dar entrada, são necessários alguns documentos, de acordo com o *Jusbrasil* (2021). São eles:

- Certidão de óbito;
- Escrituras dos bens imóveis;
- Certidões negativas de débitos ficais;
- Documentos pessoais dos herdeiros;
- Certidão de casamento ou escritura de união estável;
- Testamento;
- Procuração.

Para dar andamento ao processo, é preciso a nomeação do inventariante, que corresponde à pessoa responsável pelo transcurso do processo até o final da ação. Dada a importância desse papel, o indivíduo assina um termo de compromisso.

Complementarmente, na modalidade judicial e de acordo com o *Jusbrasil* (2021), pode ocorrer o pedido de "inventário por arrolamento", que ocorre quando todos os herdeiros forem maiores de idade e capazes; o juiz apenas homologará a proposta de partilha dos bens, sendo um procedimento mais ágil.

b. Inventário extrajudicial

O inventário extrajudicial é realizado em cartório via escritura pública. Para isso, é necessário que se atendam algumas premissas, segundo o *Jusbrasil* (2021):

- Inexistência de menores de idade na sucessão;
- Ausência de testamento por parte do falecido;

- Concordância entre os herdeiros;
- Advogado representando todos os interessados;
- Tributos quitados;
- Apenas partilha total dos bens.

Adicionalmente, é necessária a documentação citada na via judicial. É preciso ter a minuta do inventário. Em seguida, realizar o processo com o advogado no cartório.

Complementarmente aos processos citados, no caso da ausência de bens e obrigações por parte do falecido, é essencial fazer o inventário negativo. Assim, ficará evidente a ausência de direitos e deveres.

Como mencionado, para a realização do processo, é necessária a presença de um advogado para conduzir o trâmite, independentemente do tipo de inventário. Procure uma pessoa de sua confiança e de reputação ilibada. É importante ter essa conversa em vida para fazer os alimentos necessários e, principalmente, fazer uma reserva para esses custos.

Assim sendo, vamos tratar dos custos envolvidos nesse processo.

9.14.2 Custos envolvidos

a. Honorários do advogado

Como exposto, a presença do advogado é obrigatória, e a OAB (Ordem dos Advogados do Brasil) de cada estado determina os valores mínimos conforme os serviços executados.

No estado de São Paulo, de acordo com a Dominguez Advocacia (2021), para o ano de 2021, os honorários do advogado responsável por um processo de inventário podem variar entre 6% e 10% do patrimônio inventariado ou do quinhão do herdeiro, dependendo da complexidade do caso. Complementarmente, a OAB/SP não permite que o profissional cobre menos do que R$ 4.591,99 no inventário judicial, nem um valor inferior a R$ 3.279,99 para os inventários em cartório, sob pena de infração ética do profissional.

É importante destacar que é possível ter apenas um advogado num processo de inventário para todos os herdeiros, ou um para cada, se assim definirem.

Cabe salientar que a escolha do advogado não deve se basear apenas no custo e na indicação de "amigo"; é preciso verificar a reputação, como mencionado, e principalmente a sua especialização. O profissional precisa ter conhecimento do processo de inventário para dar sequência aos procedimentos necessários, orientar os envolvidos em todos os detalhes e proporcionar agilidade ao processo.

Complementarmente, segundo a Dominguez Advocacia (2021), um profissional especializado sabe determinar com exatidão qual é o direito de cada herdeiro. Isso é fundamental para não haver equívocos entre o direito sucessório e o direito que o cônjuge do "de *cujus*" tem sobre o patrimônio.

b. Custas judiciais de inventário ou emolumentos do cartório

Um advogado especializado também é essencial no que se refere aos custos. De acordo com a Dominguez Advocacia (2021), esse profissional precisa dominar os questionamentos a serem realizados no curso da cobrança do imposto de transmissão, de modo a minimizar os custos cobrados pela Fazenda.

Por fim, uma vez contratado o profissional, segue-se o processo em si. Uma vez definido o inventário extrajudicial em cartório, os custos do estado de São Paulo, segundo a Dominguez Advocacia (2021), podem variar entre R$ 1.444,35 e R$ 49.698,28, dependendo do tamanho do patrimônio, ao passo que, no inventário judicial, tendo como base a tabela de custas do Tribunal de Justiça de São Paulo para o ano de 2021, as custas do processo podem variar entre R$ 290,90 e R$ 87.270,00.

Segue quadro-resumo e comparativo das custas de cartório e emolumentos dos inventários extrajudiciais e judiciais.

Valor do Patrimônio (R$)	Inventário Judicial	Inventário Extrajudicial
Até 50 mil	290,90	Até 1.444,35
50mil a 500 mil	2.909,00	Até 4.109,41
500 mil a 2 milhões	8.727,00	Até 7.765,37
2 milhões a 5 milhões	29.090,00	Até 12.424,58
+ 5 milhões	87.270,00	Até 49.698,28

Fonte: Dominguez Advocacia (2021).

Com base na tabela, é possível observar que o valor do inventário judicial ou extrajudicial varia de acordo com o valor do patrimônio.

c. ITCMD – Imposto de Transmissão *Causa Mortis* e Doação

Adicionalmente aos custos ora expostos, tem-se a incidência do ITCMD (Imposto de Transmissão *Causa Mortis* e Doação), que é extremamente significativo e torna o planejamento financeiro ainda mais essencial.

De acordo com a Dominguez Advocacia (2021), a alíquota pode chegar a 8% sobre o total do patrimônio transmitido; no estado de São Paulo, a alíquota é fixa num percentual de 4%.

Vamos fazer algumas reflexões considerando a alíquota de São Paulo, para um patrimônio de R$ 500.000,00, com a alíquota de 4%, que representa R$ 20.000,00 de montante. Num outro exemplo, tendo como base um patrimônio de R$ 300.000,00, o valor do ITCMD é de R$ 12.000,00.

Há um aspecto relevante a se destacar. É fundamental que esse valor já esteja previsto no planejamento financeiro para ser desembolsado nesse momento; mas, se não estiver, segundo a Dominguez Advocacia (2021), caso os herdeiros não tenham condições financeiras para arcar com as custas judiciais e do imposto, existe a possibilidade de solicitar judicialmente o levantamento dos bens pertencentes do falecido para venda a fim de pagar esses custos.

Tendo em vista o exposto, é fundamental ter instrumentos que subsidiem esse momento. É preciso estar previsto no planejamento financeiro conforme recomendado no livro. Prepare-se em vida para sua família e herdeiros não terem problemas após sua partida.

9.15 Defina em vida sua partilha de bens! Testamento: definição, importância, tipos e custos

9.15.1 Testamento: definição e importância

O testamento é um instrumento importante, pois permite que se defina em vida o destino do patrimônio; com isso, é possível projetar os custos que serão envolvidos nessa transferência ou doação. Adicionalmente, ele evita disputas judiciais, uma vez que é possível detalhar a partilha dos bens, além de registar outras manifestações de vontade.

O testamento constitui a última vontade manifestada de uma pessoa. Tem caráter personalíssimo e é elaborado de forma unilateral. A pessoa detentora dos bens e que assina o testamento é chamada de testador.

É importante destacar que, de acordo com o *UOL* (2021), o testador pode dividir até 50% de seu patrimônio para os fins que desejar. Os outros 50% devem ser divididos, segundo a lei que rege o tema, entre os herdeiros necessários, que são cônjuge, descendentes (filhos, netos e bisnetos) e ascendentes (pais, avós e bisavós). Caso o testador não tenha herdeiros vivos, ele poderá fazer a divisão do patrimônio conforme lhe aprouver.

Caso uma pessoa não preveja o testamento em seu planejamento financeiro, os bens serão divididos no âmbito da lei que trata do tema. Assim sendo, podem ocorrer disputas judiciais entre os herdeiros, levando a um processo moroso.

Adicionalmente à divisão dos bens e manifestação de vontades, o testamento é útil, segundo o *UOL* (2021), para indicar quem será o tutor dos filhos menores de idade ou ainda para reconhecer um filho e incluí-lo na partilha de bens. Complementarmente, é possível estabelecer condições específicas para recebimento de um bem, por exemplo, receber uma parcela do patrimônio apenas após conclusão de universidade.

O testamento é um documento que será utilizado após a morte do testador. Cabe destacar que o testador em vida poderá alterá-lo ou revogá-lo a qualquer momento.

O testamento pode ser feito por pessoas maiores de 16 anos em plenas condições de saúde física e mental, que lhe permitam discernimento para manifestação de sua vontade de forma consciente. De acordo com o *UOL* (2021), se houver alguma questão que levante dúvidas sobre o discernimento ou condições de saúde, o testamento pode ser anulado; sendo assim, se houver problemas de saúde, é recomendado que um médico de reputação ilibada ateste a capacidade de discernimento para que a pessoa possa manifestar suas vontades.

Para validade de um testamento, não existe a obrigatoriedade da presença de um advogado; entretanto, a presença é recomendada. Segundo o *UOL* (2021), o advogado pode fornecer orientações importantes para evitar a nulidade do testamento e ainda alternativas para distribuição do patrimônio em vida.

9.15.2 Tipos de testamento

Por meio do Código Civil, a legislação brasileira define três tipos de testamento. São eles: público, particular e fechado (ou cerrado).

Cada um tem características específicas e grau de confidencialidade. Vamos conhecer mais detalhes sobre cada um deles.

a. Testamento público

Deve ser firmado em cartório por um tabelião, e duas testemunhas devem presenciar e assinar o documento. É importante destacar que, para ser testemunha nesse ato, a pessoa não pode estar entre as que receberão parte do patrimônio ou qualquer manifestação de vontade do testador.

Segundo o *UOL* (2021), mesmo tendo o nome "público", o testamento é de conhecimento apenas do tabelião e das duas testemunhas, portanto, é sigiloso. Há um registro no cartório sobre o testamento, e ele só será exposto aos herdeiros após o falecimento do testador, com a apresentação da certidão de óbito. O sigilo é importante para evitar disputas entre os herdeiros. Cabe ressaltar que o testador pode alterá-lo ou revogá-lo. Adicionalmente, destaca-se que o sigilo é uma obrigação dos cartórios. O testador, se assim for sua vontade, pode revelar o conteúdo.

b. Testamento particular

No testamento particular não há necessidade do tabelião, ou seja, não precisa ser feito em cartório. Pode ser escrito de próprio punho ou digitado pelo testador. São necessárias três testemunhas para validade do documento. Estas, por sua vez, não podem estar envolvidas no testamento para recebimento de bens ou vontades do testador.

De acordo com o *UOL* (2021), por não necessitar de registro em cartório, o testamento particular tende a ser mais barato, mas há o risco de falta de conhecimento dele por parte dos herdeiros, o que o torna menos seguro.

Assim sendo, é preciso que o testador informe alguém de sua confiança sobre a existência e a guarda dos documentos; podem ser as testemunhas, uma vez que, para assinarem, o testamento foi lido, e elas já detêm conhecimento do conteúdo. Essa decisão cabe ao testador.

c. Testamento fechado (ou cerrado)

Assim como o testamento público, o testamento fechado precisa envolver um tabelionato de notas e duas testemunhas que, assim como nos demais tipos de testamento, não podem estar envolvidas para recebimento dos bens ou vontades do testador.

Há uma característica peculiar no testamento fechado e que lhe confere alguns riscos. Segundo o Portal *UOL* (2021), ninguém, além do testador, tem conhecimento do conteúdo do testamento; o documento é disposto em um envelope costurado com linha e lacrado com o carimbo do cartório.

O risco envolvido, de acordo com o Portal *UOL* (2021), é que qualquer irregularidade no envelope pode tornar o testamento inválido; adicionalmente, se o testador não respeitou a parcela dos herdeiros necessários, o testamento pode ser tornado nulo.

O testamento cerrado é lido por um juiz na frente dos herdeiros após o falecimento do testador.

9.15.3 Custos envolvidos

Antes de destacar os custos, cabe destacar os documentos necessários para fazer o testamento em cartório: é preciso um documento de identificação com foto, que pode ser o RG ou a carteira de motorista válida. Adicionalmente, há necessidade das testemunhas, duas para o testamento particular e três para o testamento fechado, que não podem estar envolvidas nos benefícios do testamento.

A princípio não é necessário comprovar os bens que serão destinados no testamento. De todo modo, é recomendado, de acordo com o *UOL* (2021), que os documentos sejam levados ao cartório para as orientações necessárias; podem ser as escrituras de imóveis, documentos de veículos, entre outros títulos de propriedade.

No que tange aos custos, o valor pode variar em cada estado. Segundo o *UOL* (2021), no estado de São Paulo, o testamento público ou fechado custa R$ 1.746,00 mais o ISS (Imposto sobre Serviços); o ISS é um imposto municipal que, no estado de São Paulo, não pode ser maior que 5%. Cabe destacar que não há variação no preço, independentemente do valor do patrimônio.

Em relação ao testamento particular, ele não tem custo, haja vista que não há necessidade dos serviços do tabelionato; basta seguir as premissas que regem a lei. Contudo, apresenta os riscos já expostos.

Como exposto, não há obrigatoriedade de advogado, mas é recomendado para que as premissas da lei sejam cumpridas e o testador receba as orientações necessárias. Em relação aos custos, de acordo com o *UOL* (2021), a tabela de honorários da OAB (Ordem dos Advogados do Brasil) de São Paulo, o preço mínimo é de R$ 3.378,00 ou ao menos 3% sobre o valor total do patrimônio.

Dado todo o exposto, o testamento é uma ferramenta importante no planejamento financeiro, uma vez que podem ser definidos em vida o destino dos bens e as condições e restrições com as quais ficarão disponíveis. Adicionalmente, apoia no processo de sucessão e minimiza disputas entre os herdeiros.

Cabe ressaltar que o testador poderá dispor de apenas 50% do patrimônio para os fins que desejar; os outros 50% são destinados conforme rege a lei – para os herdeiros necessários.

O testador também pode definir a forma como deseja partilhar os bens com os herdeiros, inclusive definindo cláusulas importantes, segundo o Mundo dos Advogados (2017), tais como:

I. inalienabilidade (que impede a venda pelo herdeiro);
II. impenhorabilidade (que impede penhora por dívidas);
III. incomunicabilidade (que diz respeito à proteção dos bens quando o herdeiro se casar; esses bens não vão se comunicar com os bens do futuro marido).

Assim sendo, pode-se afirmar que está nas mãos de cada indivíduo definir o destino de seus bens em vida. Então, prepare-se e comece a definir o seu testamento. Defina o tipo mais adequado para você.

CAPÍTULO 10

SIM PLANEJAR!

O projeto *Sim Planejar* nasceu há cinco anos, quando me propus a disseminar o planejamento financeiro pessoal. Inicialmente entre amigos, depois por indicação, se estendeu para a comunidade e logo então se tornou um projeto social.

As indicações aumentaram, e, para garantir a qualidade, eficácia, amplitude e perenidade do projeto de educação financeira, criei o *Sim Planejar*.

Acredito que a educação transforma o indivíduo, consequentemente, a sociedade, e por conseguinte o planeta!

O propósito do *Sim Planejar* é promover a educação financeira por meio do planejamento financeiro pessoal. Focamos no "planejamento financeiro para todos"!

Acredito que a educação é um dos motores para a transformação social. Meu intuito é que cada pessoa tenha uma vida financeira saudável e sustentável para realização de sonhos e projetos e, assim, para contribuir com a sociedade e a economia.

O livro *Planejamento financeiro: você no controle!* é uma das principais ferramentas para disseminar esse propósito.

No site você encontra ferramenta adicionais para potencializar ainda mais seu planejamento financeiro!

O livro fez sentido para você? Acesse o *QR CODE* abaixo e compartilhe sua experiência e resultados por meio de uma pesquisa!

Saiba mais sobre o projeto acessando o site www.simplanejar.com ou leia o *QR CODE*.

Conheça nossas redes sociais!

SOBRE A AUTORA

SIMONE COSTA

Com MBA em Economia pela USP e mestrado internacional em Ciências Empresariais pela Faculdade Fernando Pessoa em Portugal, Simone Costa, CFP®, MiFID II, tem mais de uma década de experiência no mercado financeiro. Em finanças, iniciou a carreira como gerente, depois como especialista em investimentos, orientando clientes investidores na alocação estratégica de seus recursos, respeitando o processo de *suitability* e o cenário econômico global. Após isso, atuou na área de planejamento comercial, sobretudo em capacitações de certificações financeiras e temas macro de investimento e modelo de negócio.

Seguiu carreira como gerente de modelo investimentos direcionando o Desenvolvimento Humano e Estratégico Comercial no Itaú Personnalité, atuando nas operações Uniclass/PJ, LiveInvest, Assessoria em Investimento e Gestão de Patrimônio. Antes disso, foi gerente comercial e de planejamento numa empresa de comunicação.

À frente da Matarazzo & Cia. Investimentos como head comercial e estratégia de negócio, é responsável pela estruturação, desenvolvimento e gestão de assessoria em investimentos envolvendo áreas de administração, planejamento, comercial, recursos humanos, financeiro, operacional, modelo de assessoria, tecnologia, riscos e comunicação. Em 2020 iniciou um projeto de reestruturação, expansão dos negócios da empresa e reposicionamento da marca.

Seu protagonismo no mundo dos negócios é refletido nos prêmios conquistados à frente da Matarazzo & Cia. Investimentos:

- Personalidade Feminina 2022 nas categorias liderança, gestão e inovação em investimentos.
- The Winner Awards como Consultoria Financeira 2021.
- The Bizz Awards como Executiva do ano 21/22 e Excelência Empresarial na categoria empresas com a Matarazzo & Cia. Investimentos.
- Brasil Quality Summit 2021 como Empresária do Ano 2021 e Empresa Brasileira do Ano 2021.
- European Quality Award – como TOP 100 das melhores empresas do mundo na categoria Negócios e Economia.
- Master Águia Americana como Consultoria Financeira 2021.

Para corroborar ainda mais sua credibilidade no mercado, Simone Costa tem as principais certificações financeiras:

- CFP® – Certified Financial Planner®.
- MiFID II – Markets in Financial Instruments Directive – Eurozone.
- Consultora de Valores Mobiliários pela CVM (Comissão de Valores Mobiliários).
- CEA – Especialista em Investimentos ANBIMA.
- FBB 200 Ouvidoria.
- FBB 100 Correspondente Bancário.

Mesmo com a agenda repleta de compromissos executivos, Simone Costa, CFP®, MiFID II, reserva tempo para se dedicar ao empreendedorismo social. É idealizadora do projeto social *Sim Planejar*, cujo propósito é disseminar o planejamento financeiro pessoal na sociedade.

"A grande missão desse projeto é o 'Planejamento financeiro para todos'! Quero promover a educação financeira por meio do planejamento financeiro pessoal."

"Acredito que a educação transforma o indivíduo, consequentemente a sociedade, e por conseguinte o planeta!"

Leia o *QR CODE* e deixe sua mensagem para a autora!

REFERÊNCIAS

ARRUDA, Milviane (2017). **A importância do testamento.** Disponível em: https://www.mundoadvogados.com.br/artigos/a-importancia-do-testamento. Acesso em: 17 nov. 2021.

ASSIST, Amar. (2021). **Plano Jazigo: descubra por que os brasileiros preferem contratar esse plano ao invés de comprar direto pelo cemitério.** Disponível em: https://amarassist.com.br/artigos/plano-jazigo-descubra-por-que-os-brasileiros-preferem-contratar-esse-plano-ao-inves-de-comprar-em-direto-pelo-cemiterio. Acesso em: 15 nov. 2021.

BRASIL, Agência. (2020). **Agência Brasil Explica: portabilidade de financiamento imobiliário.** Disponível em: https://agenciabrasil.ebc.com.br/economia/noticia/2020-03/agencia-brasil-explica-portabilidade-de-financiamento-imobiliario#. Acesso em: 23 set. 2021.

BRASIL, portal. (2018). **Índice de Preços ao Consumidor Amplo (IPCA).** Disponível em: http://www.portalbrasil.net/ipca.htm. Acesso em: 06 set. 2018.

BRASIL. Aneel. **Bandeiras tarifárias.** Disponível em: https://www.aneel.gov.br/bandeiras-tarifarias. Acesso em: 29 set. 2021.

BRASIL. Banco Central (2021). **Cartão de crédito.** Disponível em: https://www.bcb.gov.br/cidadaniafinanceira/cartaodecredito. Acesso em: 25 nov. 2021.

BRASIL. Banco Central (2021). **Perguntas e respostas: cartão de Crédito e Crédito Rotativo.** Disponível em: https://www.bcb.gov.br/acessoinformacao/perguntasfrequentes-respostas/faq_cartao. Acesso em: 25 nov. 2021.

BRASIL. Banco Central (2021). **Registrato.** Disponível em: https://www.bcb.gov.br/cidadaniafinanceira/registrato. Acesso em: 23 set. 2021.

BRASIL. Banco Central (2021). **Taxas de juros básicas – Histórico.** Disponível em: https://www.bcb.gov.br/controleinflacao/histórico taxasjuros. Acesso em: 31 ago. 2021.

BRASIL. Banco Central (2021). **Taxas de juros.** Disponível em: https://www.bcb.gov.br/estatisticas/txjuros. Acesso em: 25 nov. 2021.

BRASIL. Banco Central (2021). **Taxas de juros.** Disponível em: https://www.bcb.gov.br/estatisticas/txjuros. Acesso em: 25 nov. 2021.

BRASIL. Banco Central **Perguntas e respostas: cheque especial.** Disponível em: https://www.bcb.gov.br/acessoinformacao/perguntasfrequentes-respostas/faq_cheque_especial. Acesso em: 25 nov. 2021.

BRASIL. Febraban (2021). **Índice de Saúde Financeira do Brasileiro.** Disponível em: https://indice.febraban.org.br/. Acesso em: 31 ago. 2021.

COSTA, Simone Aparecida (2019). **Planejamento financeiro pessoal: uma proposta para a saúde financeira do brasileiro da classe C.** Disponível em: https://bdigital.ufp.pt/bitstream/10284/7746/1/DM_Simone%20Aparecida%20da%20Costa.pdf. Acesso em: 01 ago. 2021.

DOMINGUEZ, Advocacia (2021). **Quanto custa um inventário em São Paulo (2021)?** Disponível em: https://www.dominguezadvocacia.com.br/single-post/quanto-custa-um-invent%C3%A1rio-em-s%C3%A3o-paulo-2021. Acesso em: 16 nov. 2021.

G1 (2014). **Como evitar vazamento trocando a 'borrachinha' da torneira.** Disponível em: http://g1.globo.com/sao-paulo/blog/como-economizar-agua/post/como-evitar-vazamento-trocando-borrachinha-da-torneira-veja-video.html. Acesso em: 01 out. 2021.

G1 (2021). **Conta de luz seguirá com bandeira vermelha patamar 2 em setembro, informa Aneel.** Disponível em: https://g1.globo.com/economia/crise-da-agua/noticia/2021/08/27/conta-de-luz-seguira-com-bandeira-vermelha-patamar-2-em-setembro-informa-aneel.ghtml. Acesso em: 27 set. 2021.

G1 (2021). **Preço do gás de cozinha sobe 5 vezes a inflação do ano e botijão chega a custar R$ 135; entenda os motivos da alta.** Disponível em: https://g1.globo.com/economia/noticia/2021/09/16/preco-do-gas-de-cozinha-sobe-5-vezes-a-inflacao-do-ano-e-botijao-chega-a-custar-r-135-entenda-os-motivos-da-alta.ghtml. Acesso em: 12 nov. 2021.

HORVAT, Priscila (2021). **Como economizar água: 50 dicas para implementar no dia a dia.** Disponível em: https://www.tuacasa.com.br/como-economizar-agua/. Acesso em: 04 out. 2021.

ITAÚ. Caderno Escolhas e Dinheiro do Itaú Unibanco (2018). **Um estudo sobre o comportamento e decisões financeiras.** Disponível em: https://www.itau.com.br/educacao-financeira/. Acesso em: 30 ago. 2021.

JUSBRASIL (2021). **O que é o inventário e para que serve?** Disponível em: https://leonardopetro.jusbrasil.com.br/artigos/390366333/ o-que-e--o-inventario-e-para-que-serve. Acesso em: 16 nov. 2021.

POLETTO, Alexandre (2021). **Telhado verde: conheça 60 projetos e veja como funciona esta cobertura.** Disponível em: https://www.tuacasa .com.br/telhado-verde/. Acesso em: 09 out. 2021.

POVO, Gazeta do Povo (2021). **11 dicas para economizar.** Disponível em: https://www.gazetadopovo.com.br/haus/11-dicas-para-economizar-energia-e-reduzir-a-conta-de-luz/. Acesso em: 25 set. 2021.

PROCELINFO (2021). **O programa.** Disponível em: http://www.procelinfo.com.br/main.asp?TeamID=%7B921E566A-536B-4582-AEAF-7D6CD-1DF1AFD%7D. Acesso em: 27 set. 2021.

ROSSI, P. (2018). **Como os governos controlam a inflação.** Disponível em: http://g1.globo.com/economia/inflacao-como-os-governos-controlam/platb/. Acesso em: 06 set. 2018.

Saneamento em pauta (2019). **Economia de água na prática: 10 dicas para começar hoje mesmo.** Disponível em: https://blog.brkambiental.com.br/economia-de-agua/. Acesso em: 09 out. 2021.

SANTIAGO, E. (2011). **Déficit público.** Disponível em: https://www.infoescola.com/economia/deficit-publico/. Acesso em: 31 ago. 2021.

SERASA (2021). **Cadastro positivo: saiba como funciona.** Disponível em: https://www.serasa.com.br/ensina/aumentar-score/ cadastro-positivo-como-funciona/?gclid=EAIaIQobChMI59KZmJfX8wIVPyqzAB04IQQPEAAYAyAAEgLCV_D_BwE. Acesso em: 31 ago. 2021.

SERASA (2021). **Saiba como consultar grátis seu Serasa Score.** Disponível em: https://www.serasa.com.br/score/. Acesso em: 19 out. 2021.

SERRANO, D. (2011). **Teoria de Maslow - A Pirâmide de Maslow.** Disponível em: http://www.portaldomarketing.com.br/Artigos/maslow.htm. Acesso em: 22 ago. 2021.

UOL (2021). **Gás está caro, mas pesa menos no salário mínimo do que há 20 anos.** Disponível em: https://economia.UOL.com.br/noticias/redacao/2021/07/08/como-variou-o-preco-gas-de-cozinha-entre--2001-e-2021.htm. Acesso em: 12 out. 2021.

UOL (2021). **Testamento evita brigas depois da sua morte; veja como fazer e quanto custa.** Disponível em: https://economia.UOL.com.br/guia-de-economia/testamento-publico-privado-cerrado-fechado-heranca-advogado-cartorio.htm. Acesso em: 17 nov. 2021.

UOL. Folha de São Paulo (1997). **A moratório de 1987.** Disponível em: https://www1.folha.UOL.com.br/fsp/1997/2/20/dinheiro/4.html. Acesso em: 31 ago. 2021.

UOL. Folha de São Paulo (2014). **País teve vários planos econômicos para controlar a inflação; conheça.** Disponível em: https://www1.folha.UOL.com.br/mercado/2014/06/1477505-pais-teve-varios-planos-economicos-para-controlar-a-inflacao-conheca.shtml. Acesso em: 31 ago. 2021.

Livros para mudar o mundo. O seu mundo.

Para conhecer os nossos próximos lançamentos
e títulos disponíveis, acesse:

www.**citadel**.com.br

/**citadeleditora**

@**citadeleditora**

@**citadeleditora**

Citadel – Grupo Editorial

Para mais informações ou dúvidas sobre a obra,
entre em contato conosco por e-mail:

contato@**citadel**.com.br